O MILAGRE DA MANHÃ

PARA EMPREENDEDORES

Hal Elrod, Cameron Herold
e Honorée Corder

O MILAGRE DA MANHÃ PARA EMPREENDEDORES

Mude sua rotina e alcance
o sucesso nos negócios

Tradução
Patrícia Azeredo

1ª edição

Rio de Janeiro | 2021

CIP-BRASIL. CATALOGAÇÃO NA PUBLICAÇÃO
SINDICATO NACIONAL DOS EDITORES DE LIVROS, RJ

Elrod, Hal, 1979-
E43m O Milagre da manhã para empreendedores: eleve a si mesmo para elevar sua empresa / Hal Elrod, Cameron Herold, Honorée Corder; tradução Patrícia Azeredo; prefácio Lewis Home. – 1. ed. – Rio de Janeiro: Best Seller, 2021.
23 cm.

Tradução de: Miracle morning for entrepreneurs: elevate yourself to elevate your business
ISBN 9788546502196

1. Sucesso - Aspectos psicológicos. 2. Autorrealização. 3. Empreendedorismo. 4. Qualidade de vida. I. Herold, Cameron. II. Corder, Honorée. III. Azeredo, Patrícia. IV. Home, Lewis. V. Título.

20-63752 CDD: 158.1
CDU: 159.947

Leandra Felix da Cruz Candido – Bibliotecária CRB-7/6135

Texto revisado segundo o novo Acordo Ortográfico da Língua Portuguesa.

Título original norte-americano:
THE MIRACLE MORNING FOR ENTREPENEURS

Design de capa: Renata Vidal
Editoração eletrônica: Abreu's System

Impresso no Brasil

ISBN 978-85-4650-219-6

DEDICATÓRIAS

HAL

Dedico este livro especificamente aos meus colegas empreendedores que estão nesse jogo há muito tempo, e aos que estão apenas começando. Admiro a coragem de vocês para se aventurar rumo ao desconhecido a fim de criar valor para o mundo e liberdade para você e sua família.

Contudo, nenhum de nós conquistou o sucesso sozinho. Apoiar cada bom empreendedor é um círculo de influência que tem nos ajudado a moldar a nossa jornada, e muitas vezes é o motivo pelo qual estamos dispostos a trabalhar tantas horas seguidas.

No centro do meu círculo está minha esposa, Ursula, a mulher dos meus sonhos, cujo apoio permite que o meu trabalho seja possível. Obrigado por acreditar em mim quando eu mesmo não acreditava. Aos nossos filhos, Sophie e Halsten, vocês me inspiram a fazer mais, ser mais e criar mais. Amo vocês mais do que tudo no mundo.

Por fim, gostaria de agradecer a Cameron Herold por trabalhar comigo para criar este livro. Eu já era fã de Cameron havia muito tempo antes de nos encontramos pessoalmente, então foi uma honra reunir nossas ideias e escrever o que acreditamos ser o livro que vai mudar o jogo para você.

CAMERON

Eu gostaria de agradecer a todos os empreendedores e CEOs para quem fui coach formalmente ao longo da última década. A sua rotina e sede de aprendizado me inspiraram a crescer também.

E, mais importante: agradeço a minha esposa, Kimberley, a mulher mais incrível que já conheci. Sou abençoado e estaria perdido sem ela. Também dedico este livro aos nossos quatro filhos, Aidan, Connor, Hannah e Emily, por me deixarem correr atrás dos meus sonhos empresariais, o que me permite ter tempo livre para criar lembranças com vocês. Amo todos vocês!

SUMÁRIO

UM CONVITE ESPECIAL DO HAL

Os leitores e praticantes de *O Milagre da Manhã* se uniram para criar uma comunidade extraordinária, composta por mais de 200 mil participantes do mundo inteiro com ideias em comum e que acordam todos os dias *com um propósito* e dedicam seu tempo a atingir o potencial ilimitado que existe em todos nós enquanto ajudam os outros a fazer o mesmo.

Por ser o autor de *O Milagre da Manhã*, senti que tinha a responsabilidade de estabelecer uma comunidade on-line em que os leitores pudessem se conectar, além de obter estímulo, compartilhar as melhores práticas, oferecer apoio mútuo, discutir o livro, publicar vídeos, encontrar parceiros de responsabilização e até trocar receitas de vitaminas e séries de exercícios físicos.

Eu não imaginava que *The Miracle Morning* se tornaria uma das comunidades on-line mais inspiradoras, engajadas e de apoio mútuo do mundo, mas foi o que aconteceu. Sempre me surpreendo com o nível e o caráter de nossos integrantes, que vêm de mais de setenta países e crescem diariamente.

Visite **MyTMMCommunity.com** e solicite a inscrição na comunidade *Miracle Morning* no Facebook [em inglês]. Lá, você poderá se conectar com mais de 150 mil praticantes do *Milagre da Manhã*. Além de encontrar muitos que estão começando a jornada, você descobrirá ainda mais pessoas que o praticam há anos e ficarão felizes em oferecer conselhos e orientações para acelerar o seu sucesso nessa jornada.

Eu modero a comunidade e apareço por lá regularmente. Espero encontrar você por lá! Para entrar em contato comigo pessoalmente nas redes sociais, siga **@HalElrod**, no Twitter, e **Facebook.com/YoPalHal**, no Facebook. Vamos nos conectar em breve!

Prefácio

De Lewis Howes, autor best-seller do *New York Times* com o livro *The School of Greatness*

Empreender é uma das carreiras mais desafiadoras que alguém pode escolher. Por trás do fascínio da liberdade, flexibilidade, potencial ilimitado e de viver um sonho está uma realidade cruel. Essa realidade inclui incontáveis dias que se transformam em noites, semana após semana, ano após ano. Incertezas, dúvidas, falhas, erros e decepções, tudo isso faz parte da jornada do empreendedor.

Apesar disso, os empreendedores escolhem continuar essa escalada ao Monte Everest por vontade própria, porque sabem do que são capazes. E o impacto que eles exercem no mundo vale todos os desafios.

Contudo, o empreendedorismo não precisa ser tão exigente como tantos pintam. Se você se comprometer com hábitos e prioridades que lhe permitam funcionar da melhor forma possível todos os dias, poderá driblar boa parte do estresse, fadiga e sobrecarga que afetam a maioria dos empreendedores.

Como ex-jogador profissional de futebol americano e atual jogador da seleção norte-americana de handebol, aprendi cedo que os meus hábitos como atleta e empreendedor determinam o sucesso dos meus sonhos.

O Milagre da Manhã para empreendedores é um manual decisivo e baseado no mundo real que ensina os hábitos e as prioridades capazes de permitir a conquista dos seus sonhos. É a bússola perfeita para mostrar o que precisa estar no topo da sua lista todos os dias para garantir que você escale a montanha do empreendedorismo com energia e confiança duradouras. Não existe forma melhor de se preparar para vencer do que investir em hábitos diários positivos. Se você fizer isso, o fascínio do empreendedorismo e da realização será a sua realidade.

Lewis Howes
Lewis Howes.com

OBSERVAÇÃO DO HAL

Seja bem-vindo a *O Milagre da Manhã*. Acho que podemos dizer com segurança que temos um ponto em comum (provavelmente muito mais do que apenas *um*, mas este é certo): *desejamos melhorar a vida e nos aperfeiçoar.* Não estou sugerindo que exista algo necessariamente "errado" conosco ou com a nossa vida, mas, como seres humanos, nascemos com o desejo e a motivação inatos de crescer e melhorar continuamente. Acredito que isso exista em todas as pessoas. Contudo, a maioria de nós acorda todos os dias e a vida continua basicamente a mesma.

Não importa onde sua vida esteja agora. Se você estiver vivenciando níveis extraordinários de sucesso, enfrentando o momento mais desafiador da sua vida ou algo entre esses dois extremos, posso afirmar com certeza absoluta que *O Milagre da Manhã* é o método mais prático, eficaz e focado em resultados que já encontrei para melhorar **todas** as áreas da vida mais rápido do que você imagina ser possível.

O Milagre da Manhã pode revolucionar a vida de conquistadores e pessoas de alto desempenho, permitindo que você chegue ao *outro patamar* aparentemente impossível e leve o sucesso pessoal e profissional muito além do que já conquistou. Embora a mudança possa incluir o aumento da renda ou o crescimento da sua empresa, das vendas e do lucro, muitas vezes é uma questão de descobrir novas formas de vivenciar níveis maiores de realização e sucesso em aspectos da vida que você pode ter deixado de lado. Isso pode significar avanços importantes na ***saúde, felicidade,***

relacionamentos, finanças, espiritualidade ou outras áreas que estejam no topo da sua lista.

Para quem está no meio da adversidade e enfrenta momentos difíceis em termos mentais, emocionais, físicos, financeiros, de relacionamentos ou outra área, *O Milagre da Manhã* já provou repetidamente que é o único método capaz de levar qualquer pessoa a superar desafios aparentemente intransponíveis, fazer grandes avanços e transformar as circunstâncias em que vive atualmente, muitas vezes em um breve período de tempo.

Não importa se você quer fazer avanços significativos em algumas áreas fundamentais ou se já está pronto para fazer a grande reformulação capaz de transformar radicalmente a sua vida para que as circunstâncias atuais logo se transformem em uma lembrança do passado: este é o livro certo para ambos os casos. Você está prestes a começar uma jornada milagrosa usando um processo simples, passo a passo e garantido que vai transformar qualquer área da sua vida, tudo isso antes das 8 horas.

Eu sei, eu sei. Estou fazendo promessas grandiosas, mas *O Milagre da Manhã* já está gerando resultados mensuráveis para centenas de milhares de pessoas pelo mundo e pode muito bem ser o método que vai levar você a conquistar o que deseja. Meus coautores e eu fizemos o máximo para garantir que este livro seja um investimento do seu tempo, energia e atenção e realmente mude a sua vida. Nossa jornada milagrosa está prestes a começar.

Com amor e gratidão,

Hal

OBSERVAÇÃO DE CAMERON HEROLD: O MEU *MILAGRE DA MANHÃ*

E que riqueza é maior do que ser dono da sua própria vida e empenhá-la no crescimento? Toda coisa viva precisa crescer. Não pode parar. Ou cresce, ou morre.

— Ayn Rand, *A revolta de Atlas*

Hal e *O Milagre da Manhã* mudaram a minha vida. Adotar a rotina matinal que encontrei naquele livro me fortaleceu como empreendedor e permitiu que pudesse ajudar os CEOs a quem ofereço mentoria a seguir rotinas para levar a si mesmos e suas empresas a um patamar que jamais imaginaram ser possível.

Em *Os sete hábitos das pessoas altamente eficazes*, Stephen Covey fala sobre o valor de priorizar as atividades que são importantes, mas não urgentes, em prol das mais urgentes (e menos importantes). Segundo ele, atividades importantes são as cruciais para conquistar objetivos de longo prazo, mas que não têm prazo final definido. As ferramentas deste livro (e muitas das que uso nos meus melhores dias) são apenas isso. Quanto mais eu as uso, melhor fica a vida.

Meus Milagres da Manhã consistem em uma rotina que inclui atenção plena, um diário de gratidão, meditar, começar o dia sem olhar meus e-mails e uma série de suplementos de saúde como vitaminas, probióticos, suco de limão, alho e chá (em vez de café).

COMO CHEGAMOS AQUI

Hal e eu nos encontramos há algum tempo em alguns grupos de *mastermind* dos quais participamos. Eu estava concentrado em me aperfeiçoar ainda mais nos negócios, mas o foco de Hal no desenvolvimento pessoal e essa rotina matinal chamaram a minha atenção.

Quando minha esposa falou sobre *O Milagre da Manhã,* há alguns anos, eu disse: *De jeito nenhum! Definitivamente não sou uma pessoa matutina* — e continuei a rotina normal de apertar o botão soneca.

Com o tempo, *O Milagre da Manhã* começou a viralizar e eu vi pessoas conhecidas divulgarem como a vida mudou depois de ler esse livro. Então, pensei: *Esse negócio de* Milagre da Manhã *está virando moda... Bom para o Hal!* Desnecessário dizer que eu li o livro, amei e o coloquei os conselhos em prática. Agora, estou treinando para correr a primeira maratona, além de estar no peso que tinha há vinte anos. Quando Hal perguntou se eu gostaria de ser coautor deste livro, eu me senti honrado. O resultado está em suas mãos, é claro. Além de me unir a Hal para criar este livro, entrevistei outros empreendedores de alto desempenho e incluí o perfil deles aqui.

O MILAGRE DA MANHÃ PARA EMPREENDEDORES

Se você quiser atrair, criar e manter níveis extraordinários de sucesso e renda, primeiro precisará descobrir como *se transformar na pessoa* que é capaz de atrair, criar e manter com facilidade e de modo consistente o nível extraordinário de sucesso e renda que deseja.

Depois, é preciso dominar o que os grandes empreendedores sabem sobre criar uma empresa capaz de fornecer a liberdade e a renda que só 1% das companhias têm.

O Milagre da Manhã para empreendedores é diferente dos outros livros sobre empreendedorismo. Esta é *a obra de referência* que ensina a ter sucesso em *todas* as áreas da vida ao mesmo tempo, mostrando como ser um empreendedor de alto nível *e* ter uma vida saudável, equilibrada e realizada. Este livro diz o que os grandes empreendedores fazem e oferece uma vantagem desde o início, ajudando você a se tornar um deles em termos mentais, emocionais, espirituais, estratégicos e de habilidade.

AGORA É A SUA VEZ

E se você pudesse acordar sem esforço de manhã, munido dos níveis extraordinários de energia, clareza e foco inabalável de que precisa para executar suas maiores prioridades e levar a si mesmo e sua empresa a outro patamar? E se acordar cedo fosse um hábito que você amasse? E se toda manhã fosse como as incríveis manhãs de Natal da sua infância, quando você ia para a cama cheio de expectativas e empolgação para o dia seguinte e praticamente arrancava os lençóis de cima do corpo ao acordar para abrir os seus presentes? (Ou era só eu?) Você tem interesse nisso?

Posso garantir que me sinto exatamente assim todos os dias. Vou dormir ansioso pelo dia seguinte e sempre acordo com a expectativa do que o dia trará para mim. Sou imensamente grato por minha vida ter se transformado em algo tão incrível.

Eu sei. Você deve estar pensando: *Já tentei e fracassei. Tentei levantar mais cedo. Tentei dominar minha vida e crescimento profissional. Falhei mais vezes do que gostaria de admitir e tenho receio de tentar algo novo. Isso realmente pode me ajudar?*

Sim! Sim! *Sim*!

Acredito que para ser verdadeiramente bem-sucedido (independentemente da sua forma de medir o sucesso), é preciso dominar tanto o jogo interno quanto o externo. Tudo começa pela manhã. Quando você conquista a manhã, ganha o dia. E, quando você ganha o dia, conquista a sua jornada empreendedora.

Se você permitir, *O Milagre da Manhã para empreendedores* pode ser coach, parceiro de responsabilização e equipe de *mastermind*, tudo ao mesmo tempo. Deixe este livro e o seu diário sempre à mão para ler, reler, fazer anotações, registrar as conquistas e avaliar seu progresso.

Você pode ser tão bem-sucedido quanto eu, ou até mais. Você pode pegar o sucesso que consegui e multiplicá-lo.

Tudo começa ao assumir o controle das manhãs. Você está pronto?

PARTE I:

O MILAGRE DA MANHÃ
+
SALVADORES DE VIDA

Capítulo 1

POR QUE AS MANHÃS SÃO IMPORTANTES (MAIS DO QUE VOCÊ PENSA)

O primeiro ritual que você faz é o mais alavancado de todos porque tem o efeito de definir a mente e o contexto para o resto do dia.

— Eben Pagan

A forma de iniciar cada manhã determina a mentalidade e o contexto para o resto do dia. Comece com uma manhã disciplinada, com propósito, voltada para o crescimento e para os seus objetivos e é praticamente garantido que você iniciará o dia arrasando.

Você já começa o dia se sentindo sobrecarregado? Posso apostar que a maioria dos empreendedores se sente assim. O dia começa com procrastinação, apertando o botão soneca e enviando a mensagem ao subconsciente de que não se tem disciplina para sair da cama, que dirá fazer o necessário para conquistar seus objetivos de crescimento da empresa.

Mas e se você pudesse mudar isso?

E se você pudesse começar o dia com uma hora de paz e tranquilidade? Aquele espaço mental limpo e arrumadinho onde é possível recuperar a noção de foco tranquilo, em que você está no controle total da situação, e seguir adiante de modo disciplinado e protegido? Mas você sabe que não dá; talvez até dê, mas não hoje.

E se, quando o alarme tocar de manhã, você o considerar o primeiro presente do dia? É o presente do tempo que você vai dedicar para se transformar na pessoa que precisa ser a fim de conquistar objetivos e sonhos para você e sua empresa enquanto o resto do mundo ainda dorme.

Enquanto a maioria dos empreendedores levanta e pensa que precisa se concentrar em *fazer* mais para poder conquistar mais, você está prestes a descobrir que o verdadeiro segredo é questão de *se transformar* em mais para poder conquistar mais fazendo *menos.*

Você pode estar pensando: *Tudo isso parece ótimo, Cameron. Mas. Eu. Não. Sou. Uma. Pessoa. Matutina.*

Eu entendo. Sério! Você está dizendo algo que já falei muito. E acredite: eu falhei muitas vezes quando tentava controlar minhas manhãs, mas isso foi antes de ter descoberto *O Milagre da Manhã.*

Acompanhe o que estou dizendo. Além de querer criar a maior e melhor empresa possível, aposto que você também quer acabar com os problemas, ter estabilidade financeira, alcançar seus objetivos e lidar melhor com as emoções intensas e nada boas geradas por esses desafios, certo? Tudo isso impede você de ser um empreendedor eficaz porque afeta a autoestima e gera sensações ruins em relação a si mesmo e à vida, impedindo-o de agir de modo eficaz para conquistar seus objetivos.

Parece familiar?

Então, saiba o seguinte: *o segredo para tudo está nas manhãs.*

Mais importante até que o *horário* de começar o dia é a *mentalidade* com a qual você começa o dia.

Talvez o seu sonho seja obter uma renda substancial com a sua empresa para se dar ao luxo de conferir o que tem dentro do seu despertador depois de acertá-lo com um taco de beisebol e começar o dia no *seu próprio horário* por um tempo.

Acredite, eu entendo e frequentemente decido começar o dia quando acordo naturalmente. Contudo, mesmo quando faço isso, o *Milagre da Manhã* é a primeira parte do dia e me coloca na mentalidade certa para aproveitar meu tempo ao máximo.

Além disso, existe uma boa probabilidade de você estar lendo este livro no começo da carreira como empreendedor, o que significa que você provavelmente está construindo sua empresa desde antes de o sol nascer até bem depois que ele se põe. Se for o seu caso, aprender a praticar o *Milagre da Manhã* será crucial para explodir como empreendedor e finalmente encontrar o sucesso que imagina. E aqui está a boa notícia: colocar em prática um *Milagre da Manhã* vale a pena e é muito mais divertido e recompensador do que você poderia esperar.

Contudo, antes de ensinar *como* dominar suas manhãs, deixe-me defender o *porquê*. E acredite: após descobrir a verdade profunda sobre as manhãs, você nunca mais vai querer desperdiçar o início do dia.

POR QUE AS MANHÃS SÃO IMPORTANTES

Quanto mais você aproveita o poder das manhãs, mais aumentam as provas de que quem cedo madruga recebe *muito* mais do que a ajuda de Deus. Aqui estão algumas das principais vantagens de utilizar bem as manhãs que você está prestes a descobrir:

Você vai ser mais proativo e produtivo. Christopher Randler é professor de biologia na Universidade de Educação em Heidelberg, Alemanha. Na edição de julho de 2010 da *Harvard Business Review*, Randler descobriu que "Pessoas cujo pico de desempenho acontece de manhã estão mais aptas para o sucesso profissional por serem mais proativas do que as pessoas cujo auge acontece à noite". Segundo Robin Sharma, que está entre os autores mais vendidos do *New York Times* e é um empreendedor de renome mundial, "Se você estudar muitas das pessoas mais produtivas do mundo, todas elas têm algo em comum: acordam cedo".

Você será capaz de prever os problemas e os resolverá rapidamente. Randler descobriu que as pessoas matutinas têm todas as cartas importantes, pois "conseguem prever e minimizar problemas, são proativas, têm maior sucesso profissional e acabam ganhando mais". Ele observou que as pessoas matutinas são capazes de antecipar problemas e enfrentá-los com mais calma e facilidade, o que as leva a ser mais bem-sucedidas nos negócios.

Você planejará como um profissional. As pessoas matutinas têm tempo para organizar, prever e se preparar para o dia. Nossos colegas dorminhocos são reativos, deixando muito por conta do acaso. Você não fica mais estressado quando não ouve o despertador tocar e dorme demais? Levantar com o sol (ou antes) faz você começar bem o dia. Enquanto todos correm para tentar controlar o dia (e fracassam), você terá uma chance muito melhor ao manter a calma e o controle da situação.

Você terá mais disposição. Um componente do *Milagre da Manhã* será o exercício matinal, que frequentemente é deixado de lado por empreendedores ocupados. Sim, mesmo alguns minutos de exercícios dão um tom positivo ao dia. Levar mais sangue para o cérebro ajuda a pensar com mais clareza e se concentrar no que é realmente importante. O oxigênio fresco vai permear cada célula do corpo, aumentando a disposição ao longo do dia. Por isso, os empreendedores que se exercitam ficam mais bem-humorados, em melhor forma física, dormem melhor e são mais produtivos. Claro que isso vai produzir aumentos significativos em seus números. Você vai conseguir mais clientes, encontrar funcionários melhores e criar uma empresa melhor!

Você terá as vantagens de quem madruga. Recentemente, pesquisadores na Universidade de Barcelona, Espanha, compararam pessoas matutinas (as que gostam de acordar bem cedo) com pessoas noturnas (as que preferem dormir e acordar tarde). Entre as diferenças encontradas, as pessoas matutinas tendiam a ser mais persistentes e resistentes à fadiga, frustrações e dificuldades. Isso se traduz em menos ansiedade, depressão e abuso de substâncias, além de maior satisfação com a vida.

As provas estão aqui, e os especialistas dizem: *o segredo para uma vida de sucesso extraordinário no empreendedorismo está nas manhãs.*

MANHÃS? SÉRIO?

Eu admito. Ir de "não sou uma pessoa matutina" para "eu realmente quero ser uma pessoa matutina" e depois chegar a "acordo cedo todo dia e é incrível!" é um processo, mas, após algumas tentativas e erros, você vai aprender a dominar, controlar e frustrar o dorminhoco que existe em você para transformar o ato de acordar cedo em hábito. Muito bem, isso parece ótimo na teoria, mas você pode estar sacudindo a cabeça e pensando: *Não tem como. Já estou espremendo 27 horas no meu dia, que só tem 24. Como eu vou acordar uma hora mais cedo?* Deixe-me fazer uma pergunta: como assim você não consegue?

O principal é entender que a prática do *Milagre da Manhã* não consiste em perder uma hora de sono para ter um dia mais longo e árduo, nem é uma questão de acordar mais cedo, e sim de acordar *melhor*.

Milhares de pessoas em todo o mundo já estão vivendo seu *Milagre da Manhã*. Muitas delas eram pessoas noturnas, mas estão conseguindo. Na verdade, estão *prosperando*. E isso não acontece só por terem acrescentado uma hora ao dia, mas por terem adicionado a hora *certa*. E você também pode fazer isso.

Ainda não acredita? Então vou explicar o seguinte: *a parte mais difícil de acordar uma hora mais cedo são os primeiros cinco minutos*. É o momento crucial em que, acomodado na cama quentinha, você decide começar o dia ou aperta o botão soneca *só mais uma vez*. É a hora da verdade, e a decisão que você tomar ali vai mudar o seu dia, o seu sucesso e a sua vida.

É por isso que os primeiros cinco minutos são o ponto de partida para *O Milagre da Manhã para empreendedores*. É a hora de conquistar todas as manhãs! Quando conquistamos a manhã, conquistamos o dia.

Nos próximos dois capítulos vou fazer com que acordar cedo se torne mais fácil e empolgante do que nunca (mesmo se você *nunca* foi uma pessoa matutina) e ensinar a expandir esses recém-descobertos minutos matinais com os Salvadores de Vida para empreendedores, as seis práticas de desenvolvimento pessoal mais poderosas e comprovadas já conhecidas pelo ser humano.

Os capítulos 4, 5 e 6 vão revelar as habilidades para elevar o empreendedor que se referem a acelerar o crescimento pessoal, saber por que é preciso estruturar a vida para ganhar uma quantidade infinita de disposição e otimizar a capacidade de manter o foco nos objetivos e nas atividades que dão mais retorno.

Por fim, os capítulos 7, 8 e 9 abordam princípios para elevar o empreendedor que você precisa dominar para ser um empreendedor excepcional. Há também um capítulo bônus escrito por Hal que você vai amar!

Temos muitos assuntos para abordar neste livro, então vamos começar agora.

PERFIL DO EMPREENDEDOR

Joe Polish

Joe Polish é o fundador da Genius Network e da Piranha Marketing, Inc.

PRINCIPAIS CONQUISTAS NOS NEGÓCIOS

- Joe faz a curadoria da rede mundial de mais alto nível para empreendedores bem-sucedidos chamada Genius Network, na qual mais de 240 empreendedores investem 25 mil dólares (aproximadamente 100 mil reais) por ano.
- Milhões de pessoas baixaram seus podcasts no ILoveMarketing.com e no 10XTalk.com.
- Ele arrecadou mais de 3 milhões de dólares (aproximadamente 12,5 milhões de reais) para a Virgin Unite, organização beneficente de Richard Branson.
- Ele criou a ideia para a JoeVolunteer.com, uma espécie de Uber para voluntários que está transformando o modo de as pessoas fazerem o bem no mundo.
- Ele é um dos fundadores da ArtistsForAddicts.com, que ajuda a mudar a forma como o mundo vê e trata as pessoas com vícios.

ROTINA MATINAL

- Joe acorda entre 6 e 7 da manhã.
- Em no máximo trinta minutos, ele toma uma vitamina e um copo grande de água.
- Depois, passa um tempo meditando.
- Como atividade física, Joe faz musculação e ioga.
- Em seguida, ele se reúne com a equipe, incluindo Eunice, sua incrível assistente.
- Joe usa o aplicativo CommitTo3 com Cameron e lista três tarefas que deseja realizar ao longo do dia.
- Como ele se identifica como um viciado, o trabalho de recuperação é parte importante da rotina. Isso pode envolver um telefonema, conversar, escrever um diário, ler ou ouvir algo positivo.

Capítulo 1

BASTAM CINCO MINUTOS PARA SE TORNAR UMA PESSOA MATUTINA

Se você parar para pensar, apertar o botão de soneca de manhã nem faz sentido. É como dizer: "Odeio acordar, então faço isso repetidamente, de novo e de novo."

— Demetri Martin, comediante

É possível gostar de acordar cedo, mesmo sem *nunca* ter sido uma pessoa matutina.

Sei que você pode não acreditar agora, e que deve estar pensando: "*Isso pode ser verdade para quem é de acordar cedo, mas, acredite, eu já tentei. Simplesmente não sou uma pessoa matutina.*"

Só que é verdade, sim. Sei disso porque também já fui assim. Costumava acordar zonzo e sempre dormia mais uns minutinhos. Eu era viciado no botão de soneca, como diz o Hal, e odiava as manhãs. Odiava levantar da cama.

E agora eu amo.

Como eu fiz isso? Quando as pessoas me perguntam como me tornei uma pessoa matutina e mudei a minha vida ao longo do processo, respondo que fiz isso em cinco etapas simples, uma de cada vez. Sei que pode parecer impossível, mas acredite neste ex-viciado no botão de soneca: é possível. E você pode fazer isso do mesmo jeito que eu fiz.

Esta é a mensagem crucial em relação a acordar cedo: é possível mudar. Pessoas matutinas não nascem assim, elas se transformam. Você pode se tornar uma delas, e isso não exige a força de vontade de um maratonista olímpico. Eu afirmo que, quando acordar cedo não for apenas algo que você faz e sim *quem você é*, as manhãs vão ser sua parte favorita do dia. Acordar será para você como é para mim: não exatamente algo que ocorre sem esforço, mas logo após sair da cama já estou cheio de disposição e sabendo o que vai acontecer.

Não se convenceu? Suspenda a descrença por um instante e me deixe apresentar o processo de cinco etapas que transformou a minha vida. Cinco passos simples e à prova de soneca que tornaram o ato de acordar, mesmo cedinho, mais fácil do que nunca. Sem essa estratégia eu ainda estaria dormindo (ou tirando sonecas) e ativando o alarme a cada manhã. Pior: eu ainda estaria me apegando à crença limitante de que não sou uma pessoa matutina.

E teria perdido um mundo de oportunidades.

O DESAFIO DE ACORDAR

Acordar cedo é como correr: você pensa que não é um corredor e talvez *odeie* até amarar os cadarços dos tênis e relutantemente sair pela porta em uma velocidade que indica que você está prestes a correr. Tendo assumido o compromisso de superar o aparentemente insuperável desdém pela corrida, você coloca um pé na frente do outro, faz isso por algumas semanas e um belo dia você se dá conta: *me tornei um corredor.*

Da mesma forma, se você resiste a acordar cedo e escolheu apertar o botão da *procrastinação*, digo, o botão de *soneca*, então é claro que você *ainda* não é uma pessoa matutina, mas siga este processo simples que está prestes a descobrir e você vai acordar em algumas semanas (talvez até em alguns dias) e se dar conta: *nossa, não acredito. Agora sou uma pessoa matutina!*

As possibilidades parecem incríveis agora e você pode se sentir motivado, empolgado e otimista, mas o que vai acontecer quando o alarme tocar amanhã cedo? Como estará a motivação quando você for tirado de um sono profundo por um alarme berrando?

Todos nós sabemos onde a motivação vai estar nesse momento: descendo pela descarga e sendo substituída pela racionalização E a racionalização é esperta. Em poucos segundos, podemos nos convencer de que só precisamos de uns minutinhos a mais... E, quando nos dermos conta, estaremos andando pela casa atrasados para o trabalho e para a vida. De novo.

É um problema difícil. Justamente quando mais precisamos de motivação, nos primeiros momentos do dia, é quando ela parece desaparecer.

A solução está em dar um gás na motivação matinal e fazer um ataque-surpresa na racionalização. É isso que os cinco passos a seguir fazem por você. Cada etapa do processo é feita para aumentar o que chamo de Nível de Motivação para Acordar (NMA).

Assim que acorda, você tem um baixo NMA, e isso significa que só quer voltar para a cama quando o alarme tocar. É normal. No entanto, ao usar este processo simples de cinco etapas (que leva uns cinco minutos), você vai gerar um alto NMA e ficar pronto para pular da cama e encarar o dia.

A ESTRATÉGIA DE CINCO PASSOS À PROVA DE SONECA PARA DESPERTAR

Primeiro minuto: definir suas intenções antes de dormir.

O primeiro segredo para acordar é entender que o *seu primeiro pensamento de manhã geralmente é igual ao último pensamento que teve antes de ir dormir*. Aposto que já houve noites em que você não conseguia dormir, por estar muito empolgado para acordar na manhã seguinte. Foi quando você era criança, na manhã de Natal, ou na véspera de sair para uma viagem de férias: assim que o despertador tocava você já abria os olhos, disposto a pular da cama e enfrentar o dia. Por quê? Porque o último pensamento que teve antes de dormir foi positivo.

Por outro lado, se o seu último pensamento antes de dormir for: "*Ah, droga, não acredito que preciso levantar daqui a seis horas. Vou estar exausto de manhã...*", então o primeiro pensamento quando o alarme tocar provavelmente será algo como: *Ah, droga, já se passaram seis horas? Nããããão... Eu só quero continuar dormindo!* Pense nisso como uma profecia que sempre se cumpre e lembre-se: você cria a sua realidade.

O primeiro passo é decidir toda noite, antes de dormir, criar de modo ativo e consciente uma expectativa positiva para a manhã seguinte. Visualize e afirme isso para si mesmo.

A fim de ajudar nesse processo e obter as palavras exatas a serem ditas antes de dormir para criar suas intenções matinais poderosas, basta baixar as "Afirmações da hora de deitar" gratuitamente em **https://www.miraclemorning.com/Brazil/**.

Segundo minuto: colocar o despertador do outro lado do quarto

Se ainda não fez isso, coloque o despertador o mais longe possível da cama. Isso vai obrigá-lo a levantar e mexer o corpo para desligar o alarme todos os dias. Movimento cria energia, e sair da cama para andar pelo quarto naturalmente ajuda você a acordar.

A maioria das pessoas deixa o despertador ao lado da cama. Pense nisso: se você deixá-lo por perto, ainda vai estar em estado parcial de sono quando o alarme tocar, e seu nível de motivação vai estar no ponto mais baixo, o que dificulta muito mais a convocação da disciplina para sair da cama. Na verdade, você pode até desligar o alarme sem perceber! Em algum momento, todos nós já nos convencemos de que o alarme era apenas parte de um sonho. (Você não está sozinho nisso, pode acreditar.)

Ao se obrigar a sair da cama para desligar o despertador, você está se preparando para o sucesso ao acordar cedo, porque terá aumentado instantaneamente o NMA.

Naquele momento, contudo, em uma escala de um a dez, o NMA ainda pode estar por volta de cinco e você provavelmente vai se sentir mais dormindo que acordado, portanto a tentação de voltar para a cama ainda estará presente. Para aumentar o NMA um pouco mais, experimente o próximo passo.

Terceiro minuto: escovar os dentes

Assim que levantar da cama e desligar o despertador, vá diretamente ao banheiro escovar os dentes. Sei o que você deve estar pensando: *Sério?*

Está dizendo que preciso escovar os dentes? Sim. A questão é fazer atividades simples nos primeiros minutos para que seu corpo tenha tempo de acordar.

Após desligar o despertador, vá ao banheiro escovar os dentes e jogue água quente (ou fria) no rosto. Essa atividade simples vai aumentar ainda mais o NMA.

Agora que seu hábito está refrescante, é hora de continuar.

Quarto minuto: beber um copo de água

É crucial que você se hidrate logo de manhã. Após seis a oito horas sem água, você vai estar levemente desidratado, o que causa fadiga. Geralmente, quando as pessoas estão cansadas, a qualquer hora do dia, precisam de mais água, não de mais sono.

Comece tomando um copo ou garrafa de água (ou você pode fazer como eu e encher o recipiente na noite anterior, deixando tudo pronto para o dia seguinte), e beba na velocidade mais confortável para você. O objetivo é repor a água da qual você se privou durante as horas de sono. (E veja bem: os benefícios da hidratação matinal incluem ter uma pele com aparência mais jovem e manter um peso saudável. Nada mau para um pouquinho de água!)

Esse copo de água deve aumentar mais um pouco o NMA, o que leva ao próximo passo.

Quinto minuto: vestir as roupas de ginástica (ou entrar no chuveiro)

O quinto passo tem duas opções. A *primeira* é vestir as roupas de ginástica, sair do quarto e imediatamente começar seu *Milagre da Manhã*. Você pode preparar as roupas antes de dormir ou já dormir vestido com elas (sim, é sério). Para algumas pessoas, a preparação na noite anterior é particularmente importante e ajuda a ir direto à prática. Você pode transformar essa parte em um ritual antes de ir dormir.

A *segunda opção* é entrar no chuveiro, que é uma ótima forma de levar o NMA ao ponto em que ficar acordado é muito mais fácil. Contudo, geralmente prefiro colocar as roupas de ginástica, já que preciso de um banho após me exercitar e acredito que você precise *merecer* a chuveirada matinal!

Muita gente prefere tomar banho antes porque ajuda a acordar e começar o dia bem. A escolha é totalmente sua.

Independentemente da opção escolhida, após realizar esses cinco passos simples, o seu NMA deve estar alto o suficiente para exigir pouca disciplina para ficar acordado e realizar seu *Milagre da Manhã*.

Se você tentasse cumprir esse compromisso assim que o alarme tocou a primeira vez, enquanto estava com um NMA de quase zero, seria uma decisão muito mais difícil de tomar. Os cinco passos criam um embalo, e em poucos minutos você fica pronto para começar em vez de estar grogue.

Nunca aconteceu de eu seguir esse processo nos primeiros cinco minutos e decidir voltar a dormir. Depois de levantar e me movimentar intencionalmente, posso continuar fazendo isso com mais facilidade ao longo do dia.

MAIS DICAS PARA ACORDAR DE *O MILAGRE DA MANHÃ*

Embora essa estratégia tenha funcionado para milhares de pessoas, os cinco passos não são a única forma de facilitar o processo de acordar. Aqui estão mais algumas que ouvi de outros praticantes de *O Milagre da Manhã*:

- *Use as afirmações da hora de deitar*: Se você ainda não fez isso, reserve um momento para acessar **https://www.miraclemorning.com/Brazil/** e baixar gratuitamente essas afirmações reenergizantes e definidoras de intenção. Nada é mais eficaz para garantir que você vai acordar antes do despertador do que programar a mente para conquistar exatamente o que você quer.
- *Configure um timer para as luzes do quarto*: Um integrante da comunidade de *O Milagre da Manhã* contou que instalou um desses. (você pode comprar pela internet ou na loja de utilidades domésticas mais próxima.) Quando o despertador toca, as luzes acendem. Que ideia incrível! É muito mais fácil voltar a dormir quando está escuro. As luzes acesas dizem para a sua mente e o seu corpo que é hora de

acordar. Mesmo se você não usar um timer, ligue a luz assim que o despertador tocar.

- *Configure um timer para o aquecedor ou ar-condicionado do quarto*: outra leitora de *O Milagre da Manhã* diz que configura o timer para desligar o aquecedor do quarto 15 minutos antes de acordar durante o inverno. Ela deixa a temperatura um pouco mais fria à noite e bem quente ao acordar para não ficar tentada a voltar para debaixo das cobertas.

Fique à vontade para acrescentar algo ou personalizar a estratégia de cinco passos à prova de soneca para acordar. Caso você tenha alguma dica que gostaria de compartilhar, nós adoraríamos saber. Publique-a [em inglês] na Comunidade de *O Milagre da manhã* em *MyTMMCommunity.com.*

Acordar com facilidade todos os dias é uma questão de ter uma estratégia eficaz e pré-estabelecida a fim de aumentar o NMA de manhã. Não espere para experimentar! Comece hoje mesmo, lendo as "Afirmações da hora de deitar de *O Milagre da Manhã*", coloque o despertador do outro lado do quarto, um copo de água na cabeceira da cama e comprometa-se com os outros dois passos para a manhã.

AGIR IMEDIATAMENTE

Não há necessidade de esperar para criar um futuro novo e incrível. Como disse Tony Robbins, "Quando é que AGORA vai ser um bom momento para fazer o que você precisa?" Agora realmente seria perfeito! Na verdade, quanto mais rápido você começar, mais rápido vai perceber os resultados, incluindo aumento na disposição, no bom humor e, claro, uma vida doméstica mais feliz.

Primeiro passo: programe o despertador para 30-60 minutos mais cedo do que você costuma acordar pelos próximos trinta dias. Isso mesmo, apenas 30-60 minutos por trinta dias, começando agora. E faça questão de anotar na agenda para fazer o seu primeiro *Milagre da Manhã... Amanhã cedo*. Isso mesmo, não use *vou esperar até terminar o livro* como desculpa para a procrastinação!

Se você estiver com dúvidas porque tentou mudar no passado e não conseguiu, aqui está uma sugestão: leia agora o Capítulo 10, o Desafio de *O Milagre da manhã* para mudança de vida em trinta dias. Isso vai fornecer tanto a mentalidade e a estratégia para superar qualquer resistência como o processo mais eficaz a fim de colocar um novo hábito em prática e mantê-lo. Pense nisso como fazer o começo com o fim em mente.

Desse dia em diante, começando pelos próximos trinta dias, deixe o despertador programado para 30-60 minutos mais cedo do que você costuma acordar. Assim, você vai conseguir levantar quando *quer* em vez de quando *precisa*. É hora de iniciar cada dia com um *Milagre da Manhã* e se transformar na pessoa que você precisa ser para levar seu desenvolvimento pessoal e sua empresa a níveis extraordinários.

O que você vai fazer com essa hora a mais? Vamos descobrir no próximo capítulo, mas por enquanto continue lendo este livro durante o seu *Milagre da Manhã* até aprender a rotina completa.

Segundo passo: participe da Comunidade *Miracle Morning* em **MyTMM-Community.com** para se conectar e conseguir apoio [em inglês] de mais de cinquenta mil madrugadores com a mesma mentalidade. Muitos deles vêm obtendo resultados extraordinários com *O Milagre da Manhã* há anos.

Terceiro passo: encontre um parceiro de responsabilização para seu *Milagre da Manhã*. Procure uma pessoa (seu cônjuge, um amigo, parente, colega de trabalho ou alguém que você encontrou na Comunidade *Miracle Morning*) que o acompanhe nesta nova aventura de modo a estimular, apoiar e se responsabilizar mutuamente para seguir em frente até *O Milagre da Manhã* fazer parte da sua vida.

Muito bem, agora vamos conhecer as seis práticas de desenvolvimento pessoal mais poderosas conhecidas pelo homem (ou mulher)... Os Salvadores de Vida.

PERFIL DO EMPREENDEDOR

JJ Virgin

As empresas de JJ Virgin são a JJ Virgin & Associates e a Mindshare Collaborative.

PRINCIPAIS CONQUISTAS NOS NEGÓCIOS

- JJ escreveu o primeiro livro que entrou para a lista de mais vendidos do *New York Times* na UTI, onde seu filho estava em coma após um atropelamento em que o motorista fugiu sem prestar socorro.
- Ela apareceu nos programas do Dr. Phil, Dr. Oz, *The Doctors*, *The Today Show*, TLC, Food Network, *Access Hollywood* e Rachel Ray, além de ter dois programas de sucesso na TV aberta dos EUA.
- Ela fundou e apresenta o maior evento para empreendedores de saúde do mundo.
- A JJ Virgin & Associates foi incluída na *Inc. 500* três vezes, e JJ é uma escritora que já esteve quatro vezes na lista de mais vendidos do *New York Times*.
- Ela é palestrante e apresentadora de infomerciais para NutriBullet Lean e já representou a Emergen-C, So Delicious Dairy Free e Subway.

ROTINA MATINAL

- O *Milagre da Manhã* de JJ começa na noite anterior. Ela revisa a agenda para o dia seguinte e faz os planos antes de dormir.
- Ela precisa de oito a nove horas de sono de qualidade todas as noites, por isso vai dormir às 22h.
- JJ acorda por volta das 6h30 (sem despertador), escova os dentes, toma café preto (feito com grãos do tipo *bulletproof*) e toma suplementos matinais.
- Em seguida, pega o "diário de intenções", onde escreve seus objetivos (de curto e longo prazo) com o máximo de clareza possível, anotando como ela deseja que o dia e a semana sejam, a quem ou ao que ela se sente grata e pensamentos positivos para seus dois filhos. Segundo ela, a prática ajudou a superar o acidente e a hospitalização do filho.
- JJ se sente mais criativa pela manhã, por isso usa esse horário para fazer *brainstorming*, criar planos de marketing, esboços de livros e programas ou resolver desafios. Essa é a atividade mais valiosa que ela pratica pela empresa.
- Depois, JJ prepara o *shake* matinal. Ela toma *shakes* de proteína no café da manhã há mais de vinte anos. Os ingredientes favoritos são proteína em pó, leite de castanha, abacate, espinafre e fibras.
- Por fim, ela toma banho, se veste e parte para o resto do dia!

Capítulo 3

SALVADORES DE VIDA PARA EMPREENDEDORES

Seis práticas que vão poupá-lo de uma vida de potencial não atingido

O que Hal fez com os Salvadores de Vida foi pegar as práticas mais relevantes, criadas ao longo de séculos de desenvolvimento da consciência humana, e condensar as melhores entre as melhores em um ritual matinal diário, que agora faz parte do meu dia.

Várias pessoas fazem um dos Salvadores por dia. Por exemplo, muita gente faz exercícios físicos toda manhã. Outras preferem o silêncio, a meditação, a escrita ou mantêm um diário. Contudo, até Hal criar os Salvadores, ninguém fazia todas as seis melhores práticas todas as manhãs. O Milagre da Manhã *é perfeito para pessoas muito ocupadas e bem-sucedidas. Fazer os Salvadores de Vida todas as manhãs é como abastecer o corpo, a mente e o espírito com combustível de foguete antes de começar o dia, todos os dias.*

— Robert Kiyosaki, autor do best-seller *Pai rico, pai pobre*

Otimista, empolgado, bem-sucedido... Sobrecarregado, frustrado, deprimido.

Essas são apenas algumas das palavras contraditórias que descrevem de modo bem preciso como é ser empreendedor, dependendo do dia.

Todos os dias, você e eu acordamos para enfrentar o mesmo desafio universal: superar as limitações que nos impomos e viver a vida com potencial completo. Infelizmente, a maior parte dos empreendedores não chega nem perto disso. A maioria se contenta com menos do que gostaria e deseja chegar ao próximo nível, mas vive com arrependimentos, sem entender o que precisa para conquistar tudo o que deseja.

Você já se sentiu assim? Como se a vida e os negócios que deseja e a pessoa que você sabe que precisa ser para criar ambos estão além do alcance? Quando você vê outros empreendedores se destacando em uma área ou em um nível em que você ainda não está, parece que eles resolveram tudo? Que eles sabem algo que você desconhece, porque também se destacaria se soubesse?

A maioria dos empreendedores vive do lado errado de uma lacuna decisiva que separa quem somos de quem podemos ser. É comum ficarmos frustrados com a falta de motivação, esforço e resultados consistentes em uma ou mais áreas da vida e passar tempo demais *pensando* no que deveríamos fazer para criar os resultados que desejamos, mas não fazemos. Muitas vezes, sabemos o que é preciso fazer, apenas não fazemos de modo consistente.

Quando Hal vivenciou o segundo dos dois fundos do poço, no momento em que sua empresa faliu devido ao colapso financeiro de 2008 (o primeiro foi quando ele morreu por seis minutos em um acidente de carro), ele ficou perdido e deprimido. Hal tentou aplicar o que já sabia que não funcionava. Nada melhorava a situação. Então, ele começou a busca pela estratégia mais rápida e eficaz a fim de levar o sucesso a outro patamar. Hal procurou as melhores práticas de desenvolvimento pessoal utilizadas pelas pessoas mais bem-sucedidas do mundo.

Após descobrir e criar uma lista com as seis práticas de desenvolvimento pessoal mais atemporais, eficazes e comprovadas, primeiro ele tentou determinar quais delas acelerariam o sucesso de modo mais rápido. Contudo, o avanço ocorreu quando ele perguntou: *o que aconteceria se eu fizesse* TODAS *elas?*

E foi o que ele fez. Apenas dois meses depois de aplicar as seis práticas quase todos os dias, Hal viveu o que se pode chamar de resultados milagrosos. Sua renda mais que dobrou, e ele se transformou de alguém que não corria mais de um quilômetro em uma pessoa que treina para uma ultramaratona de 83 quilômetros. Isso porque ele *não era* um corredor, na verdade, odiava correr. Ele pensou: *Qual a melhor forma de levar a capacidade física, mental, emocional e espiritual a outro patamar?* Conhecendo Hal como eu conheço e convivendo com ele em vários eventos corporativos, eu vi de perto o poder que veio ao aplicar de modo consistente e dominar as práticas que ele adequadamente batizou de Salvadores de Vida. Também vi muitas outras pessoas adotarem os Salvadores de Vida e se transformarem. Eu precisava fazer o mesmo.

Então, se você não for muito bem-sucedido como o multimilionário e empreendedor Robert Kiyosaki (que pratica o *Milagre da Manhã* e os Salvadores de Vida quase todos os dias) ou já sentiu que a vida que deseja e a pessoa que você pode ser estão além do alcance, os Salvadores de Vida vão evitar que você perca a vida extraordinária que realmente deseja.

POR QUE OS SALVADORES DE VIDA FUNCIONAM?

Os Salvadores de Vida são práticas diárias simples e profundamente eficazes que vão permitir que você se desenvolva e realize o seu potencial, e que também ajudam a obter mais clareza para planejar e viver a vida nos seus termos. Eles são feitos de modo que você comece o dia no auge físico, mental, emocional e espiritual para se sentir incrível, manter o aperfeiçoamento constante e *sempre* fazer o seu melhor.

Eu sei, seu sei. Você não tem tempo. Antes de começar o *Milagre da Manhã*, eu acordava no meio de um caos completo, só tinha tempo para me vestir e sair para o trabalho. Você provavelmente pensa que mal consegue dar conta dos seus afazeres atuais, que dirá do que deseja fazer, mas eu também "não tinha tempo" antes de *O Milagre da Manhã*. E agora tenho mais tempo, mais prosperidade e uma vida mais tranquila do que nunca.

O que você precisa perceber agora é que *O Milagre da Manhã* vai criar tempo para você. Os Salvadores de Vida são o veículo para ajudar você a se reconectar com a sua verdadeira essência e acordar com um propósito em vez de uma obrigação. Essas práticas ajudam você a ter disposição, ver as prioridades de modo mais claro e encontrar o fluxo mais produtivo da sua vida.

Em outras palavras, os Salvadores de Vida não tiram tempo do seu dia, e sim acrescentam.

Cada um dos Salvadores de Vida representa uma das melhores práticas utilizadas pelas pessoas mais bem-sucedidas do planeta. De astros e estrelas de cinema e atletas profissionais de nível mundial a CEOs e empreendedores, vai ser difícil encontrar uma pessoa de altíssimo desempenho que não faça pelo menos um dos Salvadores de Vida.

Contudo, vai ser igualmente difícil encontrar uma pessoa de altíssimo desempenho que pratique apenas a metade, que dirá *todos* os Salvadores de Vida. (Bom, acho que isso está mudando agora que Hal apresentou o mundo a *O Milagre da Manhã*.) É isso que faz *O Milagre da Manhã* ser tão eficaz: você está convocando os benefícios transformadores não só de uma, mas de todas as seis *melhores práticas criadas ao longo de séculos de desenvolvimento da consciência humana* e combinando todas em um ritual matinal conciso e totalmente personalizável.

Os Salvadores de Vida são:

- Silêncio
- Afirmações
- Visualização
- Exercícios
- Leitura
- Escrita

Realizar essas seis práticas é o melhor jeito de acelerar o seu desenvolvimento pessoal durante o recém-descoberto ritual do *Milagre da Manhã*. Elas são personalizáveis e se adaptam a você, ao seu estilo de vida e aos seus objetivos específicos. E você já pode colocá-los em prática quando acordar amanhã.

Vamos analisar cada um dos Salvadores de Vida em detalhes.

SILÊNCIO

O silêncio, a primeira prática dos Salvadores de Vida, é um hábito crucial para empreendedores. Se você já começa o dia pegando o telefone e o computador e mergulhando nos e-mails, telefonemas, mensagens de texto, reuniões, apresentações, planilhas e lançamentos de produtos que formam a vida do empreendedor e parecem nunca ter fim, esta é a oportunidade para se reequilibrar e começar todos os dias com um silêncio tranquilo e deliberado.

A maioria dos empreendedores começa o dia no celular verificando e-mails, mensagens de texto e os números da empresa. E a maioria dos empreendedores tem dificuldade para construir a empresa. Não é coincidência. Começar os dias com um período de silêncio vai reduzir imediatamente o nível de estresse e ajudar a enfrentar as situações com a calma e a clareza de que você precisa para se concentrar no que é mais importante.

Vários empreendedores bem-sucedidos e pessoas de alto desempenho em todas as profissões são praticantes diárias do silêncio. Não surpreende que Oprah pratique a meditação ou que também faça quase todos os outros Salvadores de Vida. A cantora Katy Perry é adepta da meditação transcendental, assim como Sheryl Crow e Sir Paul McCartney. Os astros e estrelas do cinema e da TV Jennifer Aniston, Ellen DeGeneres, Jerry Seinfeld, Howard Stern, Cameron Diaz, Clint Eastwood e Hugh Jackman já falaram sobre sua prática diária de meditação. O magnata do hip hop Russell Simmons medita com suas duas filhas por vinte minutos todas as manhãs. Até mesmo bilionários famosos como Ray Dalio e Rupert Murdoch atribuíram o sucesso financeiro à prática diária da quietude. Você vai estar em boa (e silenciosa) companhia ao fazer o mesmo.

Se eu passei a impressão de que estou pedindo para você não fazer nada, deixe-me elucidar: há várias escolhas para a prática do silêncio. Sem qualquer ordem específica, aqui estão algumas, para começar:

- Meditação
- Oração
- Reflexão

- Respiração profunda
- Gratidão

Não importa qual você escolha, o importante é não ficar na cama no seu período de silêncio. Se você sair do quarto, vai ser melhor ainda.

Em uma entrevista para a revista *Shape*, a atriz e cantora Kristen Bell disse: "Faça ioga meditativa por dez minutos toda manhã. Quando você tiver um problema, seja raiva no trânsito, do parceiro ou do trabalho, a meditação vai permitir que tudo se desenrole como deveria."

E não tenha medo de expandir os horizontes. A meditação acontece de várias formas. Como disse Angelina Jolie à revista *Stylist*: "Eu encontro a meditação sentando no chão com as crianças e colorindo por uma hora ou pulando na cama elástica. Você faz o que ama, fica feliz e esta é a sua meditação."

Os benefícios do silêncio

Quantas vezes nos vemos em situações de estresse como empreendedores? Quantas vezes lidamos com obstáculos urgentes que nos afastam da nossa visão ou do nosso plano? Não, não são perguntas difíceis, e a resposta é igual para ambas: todos os dias. O estresse é um dos motivos mais comuns pelos quais os empreendedores perdem o foco e até as empresas. Todos os dias enfrento as distrações constantes de outras pessoas atrapalhando a minha agenda e os inevitáveis incêndios que preciso apagar. Acalmar a mente permite que eu deixe tudo isso de lado e me concentre em trabalhar *em prol da* minha empresa em vez de trabalhar *nela*.

Mas o efeito vai além da produtividade. O estresse excessivo também é péssimo para a saúde. Ele ativa sua resposta de luta ou fuga, liberando uma cascata de hormônios nocivos que podem ficar no corpo por vários dias. Tudo bem se você vivencia esse tipo de estresse apenas ocasionalmente, mas, quando a quantidade constante de tarefas de empreendedor que parecem infinitas leva suas glândulas suprarrenais a encher o corpo de cortisol, o impacto negativo para a saúde só aumenta.

De acordo com o triatleta recordista mundial, coach e escritor Christopher Bergland, "O hormônio do estresse, chamado cortisol, é o inimigo número um da saúde. Cientistas sabem há anos que o nível elevado de cortisol afeta o aprendizado e a memória, além de diminuir a função imunológica e a densidade óssea, aumentar o ganho de peso, a pressão sanguínea, o colesterol, as doenças cardíacas... A lista continua. O estresse crônico aliado a um nível elevado de cortisol também aumentam o risco de depressão, doenças mentais e diminuem a expectativa de vida."

O silêncio na forma de meditação reduz o estresse e melhora a saúde. Um grande estudo feito por vários grupos, incluindo o National Institute of Health, a Associação Médica Americana, a Clínica Mayo e cientistas de Harvard e Stanford revelaram que a meditação reduz o estresse e a hipertensão. Um estudo recente feito pelo Dr. Norman Rosenthal, psiquiatra de renome mundial que trabalha com a David Lynch Foundation, descobriu até que praticantes de meditação têm probabilidade 30% menor de morrer de doenças cardíacas.

Outro estudo de Harvard descobriu que apenas oito semanas de meditação podem levar a um "aumento na densidade da substância cinzenta no hipocampo, conhecido pela importância para o aprendizado e a memória, e também nas estruturas associadas à compaixão, introspecção e autoconhecimento".

A meditação ajuda a desacelerar e se concentrar em você, mesmo se for apenas por um breve período de tempo. Inicie a prática da meditação e diga adeus à sensação de estar disperso, sem rumo, sem intenção e propósito ao longo do dia.

"Comecei a meditar porque senti que precisava fazer minha vida parar de me controlar", explicou a cantora Sheryl Crow. "A meditação ajudou a desacelerar o meu dia." Ela continua a dedicar vinte minutos de manhã e outros vinte à noite à meditação.

Ficar em silêncio abre um espaço para você antes de encontrar qualquer outra pessoa. Os benefícios são extraordinários e podem gerar a tão necessária clareza e paz de espírito para ser uma pessoa melhor em qualquer interação. Em outras palavras, praticar o silêncio pode reduzir o estresse, aumentar o desempenho cognitivo e dar confiança.

Meditações guiadas e aplicativos de meditação

A meditação é como todo o resto. Se você nunca fez isso antes, pode ser difícil ou parecer estranho no começo. Se estiver meditando pela primeira vez, recomendo começar com uma meditação guiada.

Aqui estão alguns dos meus aplicativos de meditação prediletos disponíveis para iPhone/iPad e dispositivos Android:

- Headspace
- Calm
- Omvana
- Simply Being
- Insight Timer

Existem diferenças sutis e significativas entre esses aplicativos, e uma delas é a voz do guia de meditação. Experimente vários e escolha o que funciona melhor para você

Se você não tiver um dispositivo que permita baixar aplicativos, basta ir ao YouTube ou Google e procurar as palavras "meditação guiada". Você também pode buscar por duração ("meditação guiada de cinco minutos", por exemplo) ou assunto ("meditação guiada para aumentar a confiança", por exemplo).

Uma ferramenta muito boa que venho usando ultimamente se chama Holosync, que recorre à tecnologia sonora para melhorar a meditação. Fiquei impressionado com a diferença imediata na profundidade das minhas sessões de meditação quando comecei a usá-lo. Você pode experimentar gratuitamente em holosync.com.

O empreendedor em série e apresentador do podcasts *Smart Passive Income* Pat Flynn recomenda um dispositivo chamado Muse, uma faixa de cabeça que funciona em conjunto com gravações para enriquecer a meditação. Você pode comprá-la em choosemuse.com.

Meditação (individual) de *O Milagre da Manhã*

Quando estiver pronto para tentar meditar sozinho, aqui está uma meditação simples e detalhada que você pode usar durante seu *Milagre da Manhã*, mesmo se nunca tiver feito isso antes.

Antes de começar, é importante se preparar e definir expectativas. Esse é um momento para relaxar a mente e abrir mão da necessidade compulsiva de pensar em algo, como reviver o passado ou se preocupar com o futuro sem viver totalmente no presente. É o momento de abrir mão do estresse, dar uma pausa na preocupação com seus problemas e estar presente. É o momento de acessar a essência de quem você verdadeiramente é, de ir mais fundo do que suas posses, o que você faz ou os rótulos que aceitou para definir quem você é. Se isso parece estranho ou "hippie" demais, não tem problema. Eu também senti isso. Deve ser porque nunca tentou meditar, mas felizmente está prestes a fazer isso.

- Encontre um local calmo e confortável para sentar: sofá, cadeira, chão ou almofada.
- Sente-se com a coluna ereta e de pernas cruzadas. Você pode fechar os olhos ou olhar para um ponto no chão, cerca de dois metros à frente.
- Comece mantendo o foco na respiração lenta e profunda. Inspire pelo nariz, expire pela boca e respire pela barriga em vez do tórax. A respiração mais eficaz deve fazer a sua barriga se expandir, não o peito.
- Agora comece a acertar o ritmo da respiração, inspirando lentamente em uma contagem de três segundos (dizendo mentalmente "mil e um, mil e dois, mil e três"), e depois expire lentamente em outra contagem de três segundos. Sinta os pensamentos e emoções se acalmarem enquanto se concentra na respiração. Tenha consciência de que, ao tentar acalmar a mente, os pensamentos ainda vão fazer uma visita. Apenas reconheça a existência deles e deixe-os ir embora, sempre voltando o foco para a respiração.
- Permita-se estar totalmente presente neste momento. Algumas pessoas chamam isso de *ser*. Não pensar, não fazer, apenas ser. Continue a se

concentrar na respiração e se imagine inspirando energia positiva, amorosa e tranquila e expirando todas as suas preocupações e o estresse. Aprecie a quietude. Aprecie o momento. Apenas respire... *Apenas seja.*

- Se você tiver um fluxo constante de pensamentos, talvez seja bom se concentrar em uma palavra, frase ou mantra e repeti-la mentalmente enquanto inspira e expira. Por exemplo, você pode experimentar algo como: "Eu inspiro confiança..." (ao inspirar) "Eu expiro medo..." (ao expirar). Você pode trocar a palavra "confiança" por algo que precise trazer mais para a vida (amor, fé, disposição, força etc.) e trocar a palavra "medo" por algo de que precise se livrar (estresse, preocupação, ressentimento etc.)

A meditação é um presente que você pode dar a si mesmo todos os dias. O tempo que passo meditando virou uma das minhas partes favoritas da rotina do meu *Milagre da Manhã*. É o momento de estar em paz, vivenciar a gratidão e se libertar dos estresses e preocupações do dia a dia.

Pense na meditação diária como férias temporárias dos seus problemas. Embora eles continuem lá quando a meditação terminar, você vai descobrir que está muito mais equilibrado e bem-preparado para resolvê-los.

AFIRMAÇÕES

Você já se perguntou como alguns dos maiores empreendedores parecem ter um desempenho e uma produção em nível tão alto que não faz ideia de como se juntar a eles? Ou por que outros no mesmo ramo de negócio mal conseguem produzir para fechar as contas? Em geral, a *mentalidade* do empreendedor é o principal fator para o desempenho e causa subjacente dos resultados dele.

A mentalidade pode ser definida como o acúmulo de crenças, atitudes e inteligência emocional. Em seu livro de sucesso *Mindset: A nova psicologia do sucesso*, Carol S. Dweck, ph.D, explica da seguinte forma: "Minhas pesquisas ao longo de vinte anos demostraram que a opinião que você adota a respeito de si mesmo afeta profundamente a maneira como leva a vida." Mostre-me um grande empreendedor e eu mostrarei uma pessoa com excelente mentalidade.

Outros podem sentir a sua mentalidade, de clientes em potencial a colegas. Ela aparece de modo inegável na linguagem, confiança (ou ausência dela) e comportamento. Como resultado, sua mentalidade afeta todo o processo de criação da empresa, dos objetivos que está disposto a considerar e suas atitudes até a capacidade de liderar uma equipe e expandir a empresa.

Sei, por experiência própria, o quanto pode ser difícil para os empreendedores manter a mentalidade, confiança e entusiasmo, sem contar a motivação, durante a montanha-russa da construção de uma empresa. A mentalidade é algo que adotamos sem pensamento consciente. Em nível subconsciente, fomos programados para pensar, acreditar, agir e ter um diálogo interno de determinada forma. Quando a situação fica difícil, revertemos para a mentalidade habitual e programada.

Essa programação é resultado de muitas influências, incluindo o que outros nos falaram, o que dissemos a nós mesmos e todas as nossas experiências de vida, tanto boas quanto ruins. Essa programação se expressa em todas as áreas da vida, incluindo nossas empresas, e isso significa que, se desejamos expandir as empresas, precisamos atualizar a programação mental.

As afirmações são uma ferramenta para fazer exatamente isso. Elas permitem que você fique mais intencional em relação a seus objetivos, fornecendo o estímulo e a mentalidade positiva de que você precisa para conquistá-los.

A ciência já provou que as afirmações, *quando feitas corretamente*, são uma das ferramentas mais eficazes para se transformar rapidamente na pessoa que você precisa ser de modo a conquistar tudo o que deseja na sua vida, sua empresa e seus relacionamentos. Mesmo assim, as afirmações têm uma fama ruim. Muita gente experimentou e se decepcionou ao ter pouco ou nenhum resultado. Contudo, você pode usar as afirmações para gerar resultados concretos. Vou ensinar a fazer isso.

Ao articular repetidamente e reforçar para si mesmo *qual* resultado você deseja conquistar, *por que* conquistá-lo é importante para você, *quais* ações específicas são necessárias para gerar esse resultado e, mais importante, *quando* você se compromete a realizar essas ações, a mente subconsciente vai mudar suas crenças e comportamentos. De modo automático, você vai passar a acreditar e agir de novas formas e manifestar suas afirmações em realidade, mas primeiro deixe-me explicar...

POR QUE O JEITO ANTIGO DE FAZER AFIRMAÇÕES NÃO FUNCIONA?

Por décadas, incontáveis "especialistas" e "gurus" de autoajuda ensinaram afirmações modo comprovadamente ineficaz, sempre levando as pessoas ao fracasso. Estes são os dois problemas mais comuns relacionados às afirmações.

Primeiro problema: mentir para si mesmo não funciona

Eu sou um milionário. Sério?
Tenho 7% de gordura corporal. Tem mesmo?
Conquistei todos os meus objetivos este ano. Conquistou, é?

Criar afirmações como se você já tivesse se transformado ou conquistado algo pode ser o maior motivo de as afirmações não serem eficazes para a maioria das pessoas.

Com essa técnica, toda vez que você recita uma afirmação que não é baseada na verdade, o subconsciente resiste. Como você é um ser humano inteligente e que não está delirando, mentir para si mesmo nunca vai ser a melhor estratégia. *A verdade sempre vai prevalecer.*

Segundo problema: a linguagem passiva não produz resultados

Muitas afirmações são feitas para fazer você se sentir bem ao criar uma promessa vazia de algo que você deseja. Por exemplo, esta é uma afirmação sobre dinheiro bastante popular que vem sendo perpetuada por muita gente:

Sou um ímã de dinheiro. O dinheiro flui para mim sem esforço e em abundância.

Esse tipo de afirmação pode fazer você se sentir bem no momento, ao dar uma falsa sensação de alívio das preocupações financeiras, mas não vai gerar renda alguma. Quem fica sentado esperando o dinheiro chegar magicamente acaba sem ele.

Para gerar o tipo de abundância que você deseja (ou qualquer resultado, por sinal), é preciso agir. As ações precisam estar alinhadas com os resultados desejados, e suas afirmações precisam articular e afirmar ambos.

QUATRO PASSOS PARA CRIAR AFIRMAÇÕES DE *O MILAGRE DA MANHÃ* (QUE DÃO RESULTADO)

Estes são quatro passos simples a fim de criar e implementar afirmações de *O Milagre da Manhã* voltadas para resultados e que vão programar o seu subconsciente, direcionando o consciente para atualizar seu comportamento, produzir resultados e levar seu nível de sucesso pessoal e profissional além de tudo o que você já vivenciou.

Primeiro passo: identificar o resultado ideal que você se compromete a alcançar e por quê

Observe que não estou começando pelo que você *quer*. Todos queremos algo, mas não conseguimos o que queremos: nós conseguimos o que nos comprometemos a conquistar. Você quer ser um grande empreendedor? Quer ser milionário? Quem não quer? Junte-se a esse clube, que está longe de ser exclusivo. Ah, espere aí: você está 100% comprometido a se transformar em um milionário ao elucidar e executar as ações necessárias até conquistar o resultado? Agora, sim, podemos conversar.

Ação: comece escrevendo um resultado específico e extraordinário que desafie você, que melhoraria significativamente a sua vida e que você está pronto para se comprometer a criar, mesmo se ainda não tiver certeza de como vai fazer isso. Depois, reforce a atitude incluindo o *porquê*, o motivo irrefutável pelo qual você está disposto a manter esse compromisso.

Exemplos: Eu me comprometo a duplicar minha renda nos próximos 12 meses, de R$ __________ para R$ __________, de modo a fornecer segurança financeira para minha família.

Ou:

Eu me comprometo totalmente a perder ______ quilos e a pesar ______ quilos em ______ (data), de modo a ter disposição para agir e levar meus negócios a outro patamar.

Segundo passo: definir as ações necessárias que você se compromete a fazer e quando

Escrever uma afirmação que apenas diga o que você *quer* sem especificar o que se compromete a *fazer* é inútil e pode até atrapalhar, pois leva o subconsciente a pensar que o resultado vai acontecer de modo automático e sem esforço.

Ação: esclareça de modo bem específico a ação, atividade ou hábito necessário para obter o resultado ideal e diga claramente quando e com que frequência vai realizá-la.

Exemplos:

Para garantir que vou duplicar minha renda, eu me comprometo a duplicar meus telefonemas diários de prospecção de clientes de vinte para quarenta ligações por dia, cinco dias por semana, das 8 às 9 horas, não importa o que aconteça.

Ou:

Para garantir que eu perca ______ quilos, eu me comprometo totalmente a ir à academia cinco dias por semana e correr na esteira pelo mínimo de vinte minutos por dia, das 6 às 7 horas.

Quanto mais específicas forem as suas ações, mais clara será a programação para que você tome as atitudes necessárias de modo consistente a fim de ficar mais perto dos seus objetivos. Não se esqueça de incluir a *frequência* (quantas vezes), a *quantidade* (quanto) e *horários precisos* (quando você vai começar e terminar as atividades).

Terceiro passo: recite suas afirmações toda manhã (com emoção)

Lembre-se: as afirmações de *O Milagre da Manhã* não são feitas apenas para fazer você *se sentir bem*. Essas declarações escritas são estrategicamente criadas para programar o subconsciente com as crenças e a mentalidade necessárias para conquistar o resultado desejado, direcionando a mente consciente a fim de manter o foco em suas maiores prioridades e tomar as atitudes que vão ajudar você a chegar lá.

Contudo, para que as afirmações sejam eficazes, é importante que você mobilize as emoções ao recitá-las. Apenas repetir uma afirmação, sem intencionalmente sentir a verdade dela, vai ter impacto mínimo para você. É preciso assumir a responsabilidade por gerar emoções autênticas, como empolgação e determinação, e injetar essas emoções de modo poderoso em toda afirmação que você recitar.

É preciso afirmar quem você precisa ser a fim de fazer o necessário para conseguir os resultados que deseja. Vou dizer de novo: não é mágica. Essa estratégia funciona quando você se conecta com *a pessoa que precisa ser* para conquistar seus objetivos. Acima de tudo, o que vai atrair os resultados é quem você é.

Ação: reserve um tempo todos os dias para ler suas afirmações durante seu *Milagre da Manhã* de modo a programar o subconsciente e concentrar a mente consciente no que é mais importante para você e no que você se compromete a fazer para transformar isso em realidade. Sim, você precisa lê-las todos os dias. Ler uma afirmação ocasionalmente é tão eficaz quanto fazer exercícios físicos ocasionalmente. Você vai ver resultados apenas quando tornar as afirmações parte da sua rotina diária.

Um ótimo lugar para ler as afirmações é no chuveiro. Se você plastificá-las e deixá-las lá, elas vão estar na sua frente todos os dias. Coloque-as em todos os lugares que puder: um cartão embaixo do para-sol do carro, um adesivo no espelho do banheiro, vale até escrever direto no espelho com canetas especiais. Quanto mais você olhar para essas afirmações, mais o subconsciente poderá se conectar com elas para mudar seu pensamento e suas ações.

Quarto passo: atualizar e evoluir constantemente as afirmações

À medida que você cresce, melhora e evolui, suas afirmações precisam fazer o mesmo. Quando você decidir um novo objetivo, sonho ou resultado extraordinário que deseja criar para sua vida, adicione-o às afirmações.

Eu tenho afirmações para cada área importante da vida (finanças, saúde, felicidade, relacionamentos, criação dos filhos etc.), e atualizo todas continuamente à medida que aprendo mais. Além disso, estou sempre procurando citações, estratégias e filosofias que posso adicionar para aperfeiçoar a minha mentalidade. Sempre que você esbarrar em uma citação ou filosofia e pensar: *Uau, essa é uma área em que posso fazer uma grande melhora na minha vida*, adicione-a às suas afirmações.

Lembre-se: as afirmações devem ser personalizadas para os seus objetivos e para o que você se compromete *pessoalmente* a fazer. Elas precisam ser específicas a fim de funcionar em nível subconsciente.

Essa programação pode mudar e melhorar a qualquer momento, começando agora. Você pode reprogramar qualquer limitação com novas crenças e criar novos comportamentos de modo a ser tão bem-sucedido quanto deseja em qualquer área da vida que escolher.

Em resumo, suas novas afirmações articulam os resultados extraordinários que você está comprometido a criar, porque eles são crucialmente importantes para você. O mais importante: que ações necessárias você se compromete a realizar e quando vai realizá-las para obter e sustentar o nível extraordinário de sucesso que realmente deseja (e merece) para sua vida?

Afirmações para se elevar como empreendedor

Além da fórmula para criar suas afirmações, incluí uma lista com exemplos de afirmações que são utilizadas regularmente pelos maiores empreendedores para aumentar o crescimento, a produtividade e melhorar diversas áreas das empresas deles. Fique à vontade para incluir as frases com as quais você se identifica em sua rotina diária.

- Tenho tanto valor, merecimento e capacidade de conquistar o meu resultado ideal quanto qualquer pessoa no mundo, e vou provar isso hoje com meus atos.
- Onde estou é resultado de quem eu *fui*, mas para onde vou depende inteiramente da *pessoa que escolho ser* a partir de hoje.
- Deixo cada pessoa com quem falo melhor do que quando a encontrei porque me importo sinceramente com o que está acontecendo na vida dela e não tenho medo de fazer um elogio sincero. Independentemente de aceitar ou não trabalhar ao meu lado, as pessoas ficam felizes por terem conversado comigo!
- Criar minha empresa não diz respeito a mim e aos meus desejos, e sim a me conectar com os clientes, os possíveis clientes e minha equipe de modo a descobrir o que é importante para eles e posteriormente mudar o meu produto ou oportunidade para atender às necessidades e desejos deles.
- Lembre-se de que as pessoas compram produtos ou aceitam trabalhar em empresas com base em emoções e sentimentos, portanto, minha função não é convencer um possível cliente ou colaborador de que ele *não pode viver sem* o meu produto ou que precisa trabalhar na minha empresa *hoje*. Minha função é criar uma imagem atraente (por meio de palavras e histórias) que envolva emocionalmente na experiência de ter o meu produto ou entrar para a minha equipe. Vou fazer com que seja divertido e empolgante dizer "sim" à minha proposta.

- Um dos verdadeiros segredos para o sucesso como empreendedor é *me comprometer com o meu processo sem me apegar emocionalmente aos resultados*. Nem sempre posso controlar os resultados diários, mas desde que eu siga o meu processo que produz esses resultados, a lei das médias *sempre* vai atuar e os resultados vão aparecer.
- Eu me comprometo a fazer um mínimo de ______ (quantidade) ______ (ação), de segunda à sexta, das ______ horas às ______ horas, não importa o que aconteça.
- Vejo minha equipe, meus clientes e possíveis clientes como amigos queridos. Ao me concentrar de modo altruísta em maneiras de agregar valor à vida deles, aumento o valor que ofereço a eles.
- Eu me concentro em aprender algo novo e aperfeiçoar minhas habilidades diariamente, e me comprometo a ler ou reler pelo menos um ou dois livros por mês.
- Continuo a desenvolver conhecimentos sobre o meu serviço e leio notícias do meu ramo profissional para ficar à frente da concorrência.
- Aumento o volume de grupo a cada mês porque tenho o compromisso de me aperfeiçoar de modo constante e incansável, além de realizar as ações necessárias para aumentar esse volume de modo constante.
- Dedico um tempo toda semana a alimentar o relacionamento com meus clientes e colaboradores e gero toneladas de negócios como resultado disso.
- Eu me comprometo a fortalecer e dar independência a minha equipe com o conhecimento e as habilidades que aprendi para que eles possam obter sozinhos qualquer nível de sucesso que desejem.

Esses são apenas alguns exemplos de afirmações. Você pode usar todas com as quais se identifique, mas experimente criar as suas usando a fórmula de quatro passos descrita nas páginas anteriores. Tudo o que você repetir várias vezes com emoção será programado em seu subconsciente, ajudando a formar novas crenças que vão se manifestar através de suas ações.

VISUALIZAÇÃO

A visualização é uma prática muito conhecida entre atletas de nível mundial, que a utilizam para melhorar o desempenho. Atletas olímpicos e pessoas com alto desempenho incorporam a visualização como parte crucial do treinamento diário. O fato não muito conhecido é que os empreendedores de maior sucesso também a utilizam com a mesma frequência.

A visualização é uma técnica na qual você usa a imaginação para criar uma imagem convincente do futuro, fornecendo maior clareza e produzindo a motivação que vai ajudar a transformar sua visão em realidade.

Para entender *por que* a visualização funciona, é importante olhar para os neurônios-espelho. O neurônio é a célula que conecta o cérebro a outras partes do corpo, e um neurônio-espelho é o que dispara ou envia um impulso quando agimos *ou* observamos outra pessoa agir. Trata-se de uma área relativamente nova de estudos dentro da neurologia, mas parece que essas células permitem melhorar nossas habilidades observando outras pessoas realizá-las *ou* visualizando-as. Alguns estudos indicam, por exemplo, que levantadores de peso experientes podem aumentar a massa muscular com sessões de visualização vívida, e os neurônios-espelho são os responsáveis por isso. De várias formas, o cérebro não consegue perceber a diferença entre uma visualização vívida e uma experiência real.

Sempre fui meio cético em relação à visualização, porque parecia algo muito *riponga*. Depois que li sobre os neurônios-espelho, minha atitude mudou completamente!

O que você visualiza?

A maioria das pessoas é limitada por visões dos resultados passados. Elas repetem fracassos e mágoas anteriores. Contudo, a visualização criativa permite *projetar* a visão que vai ocupar sua mente, garantindo que a maior força atuando em você seja o seu futuro. Um futuro que será irresistível, empolgante e ilimitado.

Muitas pessoas não se sentem confortáveis visualizando o sucesso e têm até medo de ser bem-sucedidas. Algumas podem enfrentar resistência nessa área e até sentir culpa por deixar colegas, amigos e familiares para trás ao alcançar o sucesso.

Esta famosa frase de Marianne Williamson é um ótimo lembrete para quem enfrenta obstáculos mentais ou emocionais durante a visualização:

Nosso medo mais profundo não é o da inadequação. O medo mais profundo é o do poder além de qualquer medida. É a luz, não a escuridão, que mais nos assusta. Nós questionamos: "Quem sou eu para ser brilhante, ter beleza, talento e ser incrível?" Na verdade, quem é você para não ser tudo isso? Você é filho(a) de Deus. Minimizar seus talentos não ajuda o mundo. Não há nada iluminado em se diminuir para que outros não fiquem inseguros ao seu redor. Todos nós estamos aqui para brilhar, como as crianças. Nascemos para manifestar a glória de Deus que está em nós. Não só em alguns, em todos. E, se deixarmos a nossa luz brilhar, inconscientemente daremos permissão aos outros para fazer o mesmo. Como nos libertamos do medo, nossa presença automaticamente liberta os outros.

Pense que o maior presente que você pode dar a quem ama é viver o seu potencial completo. Como é isso para você?

Após ler minhas afirmações durante a prática do *Milagre da Manhã*, eu me sento com a coluna reta, fecho os olhos e respiro lenta e profundamente. Nos cinco ou dez minutos seguintes eu apenas visualizo as *ações específicas* necessárias para transformar meus objetivos de longo e curto prazo em realidade.

Observe que eu *não* visualizo os resultados. Muita gente vai discordar disso, mas evidências científicas mostram que apenas visualizar o resultado desejado (o carro, a casa, atravessar a linha de chegada, estar no palco etc.) pode na verdade diminuir a motivação, porque seu cérebro já vivenciou a recompensa de alguma forma.

Por isso, recomendo muito concentrar a visualização nas ações necessárias. Imagine-se realizando essas ações, especialmente as que você costuma rejeitar e procrastinar, criando uma experiência mental e emocional irresistível daquela ação. Por exemplo: Hal detestava correr, mas assumiu um compromisso consigo mesmo (e também publicamente) de correr uma ultramaratona de 83 quilômetros. Ao longo de cinco meses de treinamento ele usou a visualização do *Milagre da Manhã* para se ver amarrando os cadarços dos tênis e saindo para correr *com um sorriso no rosto e muita disposição*. Assim, quando chegasse a hora de treinar, ele já teria programado a experiência para ser positiva e prazerosa.

Como empreendedor você pode se imaginar tendo conversas leves e divertidas com os possíveis clientes durante as ligações de vendas. Passe um tempo imaginando a sua apresentação para esse possível cliente. Como é isso para você? Como você se sente ao desenvolver uma ótima relação com esse cliente? Imagine-se respondendo a perguntas e questionamentos. Você pode escolher qualquer ação ou habilidade crucial que ainda não domine. Imaginar o sucesso vai preparar você para um dia de sucesso que estará praticamente garantido.

TRÊS PASSOS SIMPLES PARA A VISUALIZAÇÃO DE *O MILAGRE DA MANHÃ*

A hora perfeita para visualizar-se vivendo de acordo com suas afirmações é logo depois de lê-las.

Primeiro passo: preparação

Algumas pessoas gostam de colocar música instrumental durante a visualização, como obras clássicas ou barrocas (recomendo todas as composições de Johann Sebastian Bach). Se você quiser ouvir alguma música, coloque-a em um volume relativamente baixo. Pessoalmente, tudo o que tem palavras me distrai muito.

Agora, sente-se com a coluna reta em uma posição confortável. Pode ser em uma cadeira, sofá ou no chão, com uma almofada. Respire fundo. Feche os olhos, esvazie a mente e abra mão de quaisquer limitações que tenha imposto a si mesmo ao se preparar para os benefícios da visualização.

Segundo passo: visualizar o que você realmente deseja

O que você *realmente* deseja? Esqueça a lógica, os limites e a praticidade. Se você pudesse ter *tudo* o que desejasse em termos pessoais e profissionais, como isso seria? Veja, sinta, ouça, toque, sinta o gosto e o cheiro de cada detalhe dessa visão. Quanto mais nítida for a visão, maior será a motivação para tomar as atitudes necessárias e transformá-la em realidade.

Terceiro passo: visualizar a execução sem falhas

Após criar uma imagem mental clara do que deseja, comece a se visualizar fazendo exatamente o que precisa para transformar sua visão em realidade com extrema confiança e apreciando cada etapa do processo.

Visualize-se envolvido nas ações que precisa realizar (fazendo exercícios físicos, escrevendo, vendendo, apresentando, falando em público, telefonando, enviando e-mails etc.). Imagine-se com o olhar e a *sensação* de confiança suprema ao mostrar sua ideia para aquela empresa de capital de risco a fim de conseguir financiamento. Visualize e *sinta* o sorriso ao correr na esteira, repleto de orgulho pela disciplina para manter seu compromisso. Em outras palavras, visualize-se *executando tudo sem falhas*. Sinta a determinação ao agir de modo persistente e ao progredir naquele projeto que você está adiando há tempo demais. Visualize seus clientes, colegas, cônjuge, família e amigos reagindo a sua atitude positiva e a sua perspectiva otimista.

Considerações finais sobre visualização

A visualização pode ser uma ferramenta poderosa para superar crenças e hábitos limitadores como a procrastinação, e fazer você desempenhar de modo consistente nas ações necessárias para obter resultados extraordinários em sua empresa. Ao combinar a leitura das afirmações todas as manhãs com a visualização diária, você vai turbinar a programação do subconsciente para o sucesso através do desempenho máximo. Os pensamentos e sentimentos vão se alinhar a sua visão a fim de manter a motivação para realizar as ações necessárias e conquistar seus objetivos e sonhos.

EXERCÍCIOS

Os exercícios precisam ser um componente básico do seu *Milagre da Manhã*. Até mesmo poucos minutos de exercícios diários podem melhorar significativamente a saúde, aumentar a autoconfiança e o bem-estar emocional, permitindo que você pense melhor e se concentre mais. Você vai notar um aumento na disposição com os exercícios diários, e as pessoas com quem mais convive também vão perceber a mudança.

Os especialistas em desenvolvimento pessoal e empreendedores multimilionários Eben Pagan e Tony Robbins (que também é um escritor de sucesso, com livros entre os mais vendidos na lista do *New York Times*) concordam que o segredo para ser bem-sucedido é começar as manhãs com um ritual pessoal de sucesso. E o ritual de ambos inclui algum tipo de exercício matinal. Eben é inflexível quanto à importância do exercício *matinal*: "Você tem que aumentar a frequência cardíaca, fazer o sangue fluir e encher os pulmões de oxigênio todas as manhãs." Ele explica: "Não faça exercícios apenas no meio ou no fim do dia. Mesmo se você gostar de se exercitar nesses horários, sempre incorpore pelo menos dez a vinte minutos de polichinelos ou algum tipo de atividade aeróbica pela manhã." Bom, se funciona para Eben e Tony, então funciona para mim também!

Se você tiver medo de se envolver em um treinamento para maratona ou triatlo, fique tranquilo. Os exercícios matinais não precisam substituir o seu regime vespertino ou noturno de atividade física atual, então você pode continuar indo à academia no horário de sempre. Contudo, os benefícios de adicionar no mínimo cinco minutos de exercícios matinais são inegáveis, incluindo diminuição da pressão sanguínea, do nível de glicose no sangue e no risco de todo tipo de enfermidades assustadoras, como doenças cardíacas, osteoporose, câncer e diabetes. E talvez o mais importante: um pouco de exercício pela manhã vai amentar sua disposição no resto do dia para ajudá-lo a lidar com os altos e baixos da vida.

Você pode fazer uma caminhada ou corrida, colocar um DVD do P90x ou Insanity, acompanhar um vídeo de ioga no YouTube ou encontrar um parceiro para os Salvadores de Vida e jogar um pouco de raquetebol matinal. Há também um aplicativo excelente chamado 7 Minute Workout [Exercícios de Sete Minutos, em tradução livre] que oferece ginástica para o corpo todo em, isso mesmo, sete minutos. Essa atividade física rápida é a que mais gosto de praticar quando estou viajando para dar palestras, porque é fácil encaixá-las na minha agenda atribulada. Não tem desculpa para não fazer. A escolha é sua, mas escolha uma atividade e faça.

Como empreendedor, você está sempre ocupado e precisa de uma reserva infinita de energia para capitalizar todas as oportunidades que surgirem pelo caminho. A prática matinal e diária de exercícios vai oferecer exatamente isso.

Exercícios para o cérebro

Mesmo se você não se importar com a saúde física, saiba que os exercícios vão deixá-lo mais inteligente, e isso pode ajudar sua capacidade de resolver problemas. O Dr. Steven Masley, médico e nutricionista da Flórida que tem uma clientela de executivos, explica a relação direta entre o exercício físico e a capacidade cognitiva.

"Se estamos falando de desempenho, o melhor indicador da velocidade cerebral é a capacidade aeróbica. A maneira como subimos uma ladeira correndo está fortemente relacionada à velocidade cerebral e à capacidade cognitiva", define Masley.

Masley criou um programa de bem-estar corporativo baseado no trabalho que fez com mais de mil pacientes. "A pessoa comum que entra nesses programas vai aumentar a velocidade cerebral entre 25 e 30%."

Hal escolheu a ioga como atividade física e começou a praticá-la assim que criou *O Milagre da Manhã*. Ele segue fazendo e amando a prática desde então.

Minha rotina de exercícios costuma ser uma corrida pelo bairro enquanto ouço ótimos podcasts ou audiolivros, e depois faço os exercícios de sete minutos. No momento estou treinando para minha primeira maratona e adoro a paz que sinto ao ficar um tempo longe da empresa enquanto corro. Para mim, isso significa alcançar vários objetivos ao mesmo tempo: a corrida me ajuda a acordar e começar o *Milagre da Manhã*, eu consigo uma dose de vitamina D para a mente e o corpo, uma combinação de exercícios aeróbicos e musculação *e também* recebo uma dose de inspiração com o que estou ouvindo.

Minha esposa também faz exercícios como parte do seu *Milagre da Manhã*, o que ajuda a me motivar! Eu adoro o fato de que nós dois estamos agindo para manter a saúde. Recomendo que você encontre o que for melhor para sua rotina e acrescente ao seu *Milagre da Manhã*.

Considerações finais sobre exercícios

Você sabe que para manter a saúde e aumentar a disposição é preciso se exercitar de modo consistente. Isso não é novidade para ninguém, mas é muito fácil inventar desculpas para não se exercitar. As duas principais são: "Não tenho tempo" e "Estou muito cansado". E essas são apenas as primeiras da lista. Não há limite para as desculpas em que se pode pensar. Quanto maior a sua criatividade, mais desculpas você poderá inventar!

Esta é a beleza de incorporar os exercícios ao seu *Milagre da Manhã*: eles serão feitos antes de você se cansar e antes de você ter um dia inteiro para inventar desculpas. Por ser a primeira atividade do dia, o *Milagre da Manhã* é infalível para evitar esses obstáculos e transformar os exercícios em hábito diário.

Advertência necessária: nem precisava dizer, mas é preciso consultar um médico antes de começar qualquer rotina de exercícios físicos, especialmente se você estiver sentindo qualquer tipo de dor, desconforto, tiver alguma deficiência etc. Talvez seja preciso alterar ou até abster-se da rotina de exercícios para atender a suas necessidades individuais.

LEITURA

Como empreendedores, sabemos que uma das formas mais rápidas de conquistar os resultados que desejamos é encontrar pessoas de sucesso que sirvam como modelos de comportamento. Para cada objetivo que você tiver, há uma boa probabilidade de um especialista ter conseguido o mesmo ou algo similar. Como diz Tony Robbins: "O sucesso deixa pistas."

Felizmente, alguns dos melhores compartilharam suas histórias por escrito. E isso significa que todos esses mapas para o sucesso estão apenas esperando alguém disposto a dedicar o tempo necessário para lê-los. Os livros oferecem um suprimento infinito de ajuda e mentoria bem na ponta dos seus dedos.

Um desafio significativo para os empreendedores é o fato de que somos motivados, até mesmo *viciados* em produzir resultados. É a nossa bênção e maldição. É uma bênção por ser o que nos diferencia da maioria da sociedade, que se contenta em bater o ponto, fazendo um esforço mínimo para receber uma compensação moderada. É o que dá a motivação para criar, agregar valor e causar impacto no mundo.

Esse vício em produzir resultados também é uma maldição porque muitas vezes nos impede de dedicar tempo a trabalhar no aperfeiçoamento pessoal e da empresa. Como ler não produz resultados *diretos* (pelo menos não em curto prazo), o gene natural do empreendedorismo, se é que isso existe, nos leva a outras atividades que dão frutos. O problema é que esses resultados muitas vezes são tarefas de baixo nível, como verificar os e-mails.

De vez em quando ouço um empreendedor dizer: "Sou muito ocupado, não tenho tempo para ler." Eu entendo. Também costumava acreditar nisso, mas agora penso no que o meu mentor dizia: "As melhores mentes da humanidade passaram anos condensando o melhor do conhecimento deles em poucas páginas que podem ser compradas por poucos dólares, lidas em poucas horas e diminuir a sua curva de aprendizado em décadas. Mas eu entendo, você é ocupado demais." Nossa!

Quer ir do zero a cem milhões rapidamente? Quer aprender a pensar e enriquecer? Está pronto para acordar o seu gigante interior? E ficar feliz sem motivo? Colocar em prática uma semana de trabalho de quatro horas? Dobrar sua renda e lucros em três anos ou menos? Pois você está com sorte: ouvi dizer que vários autores escreveram livros exatamente sobre esses assuntos.

Quanto aos meus livros favoritos relacionados ao empreendedorismo, aqui está uma breve lista:

- *Scale: Seven Proven Principles to Grow Your Business and Get Your Life Back* [Escala: Sete princípios comprovados para expandir seus negócios e recuperar sua vida], de Jeff Hoffman e David Finkel.
- *Getting Everything You Can Out of All You've Got: 21 Ways You Can Out-Think, Out-Perform, and Out-Earn the Competition* [Obtendo tudo o que você pode daquilo que você tem: 21 maneiras de pensar, superar e vencer a competição], de Jay Abraham.
- *De zero a um: O que aprender sobre o empreendedorismo com o Vale do Silício*, de Peter Thiel.
- *A startup enxuta: Como os empreendedores atuais utilizam a inovação contínua para criar empresas extremamente bem-sucedidas*, de Eric Ries.
- *Ask: The Counterintuitive Online Method to Discover Exactly What Your Customers Want to Buy... Create a Mass of Raving Fans... and Take Any Business to the Next Level* [Pergunte: O método on-line contraintuitivo para descobrir exatamente o que seus clientes desejam comprar... Criar uma base de fãs entusiasmados... e levar qualquer empresa ao próximo nível], de Ryan Levesque.
- *A única coisa: O foco pode trazer resultados extraordinários*, de Gary Keller e Jay Papasan.
- *O ego é seu inimigo*, de Ryan Holiday.
- *As armas da persuasão*, de Robert Cialdini.

Aqui estão mais alguns títulos sobre mentalidade:

- *The Art of Exceptional Living* [A arte de viver excepcionalmente], de Jim Rohn.
- *Pense & enriqueça*, de Napoleon Hill.
- *The Power of Consistency: Prosperity Mindset Training for Sales and Business Professionals* [O poder da consistência: Treinamento em *mindset* de prosperidade para profissionais de vendas e negócios], de Weldon Long.

- *Os sete hábitos das pessoas altamente eficazes: Lições poderosas para a transformação pessoal*, de Stephen R. Covey.
- *Maestria*, de Robert Greene.
- *Trabalhe 4 horas por semana: Fuja da rotina, viva onde quiser e fique rico*, de Tim Ferriss.
- *O jogo da vida*, de Florence Scovel Shinn.
- *O efeito cumulativo: Alavanque sua renda, sua vida, seu sucesso*, de Darren Hardy.
- *Taking Life Head On: How to Love the Life You Have While You Create the Life of Your Dreams* [Encarando a vida de frente: Como amar a vida que você tem enquanto cria a vida dos seus sonhos], de Hal Elrod.
- *Vision to Reality: How Short Term Massive Action Equals Long Term Maximum Results* [Da visão à realidade: Como a ação massiva de curto prazo é igual a resultados máximos de longo prazo], de Honorée Corder.
- *Finding Your Element: How to Discover Your Talents and Passions and Transform Your Life* [Encontrando seu elemento: Como descobrir seus talentos e paixões e transformar sua vida], de Sir Ken Robinson e Lou Aronica.

Além de encontrar sucesso como empreendedor, você poderá transformar seus relacionamentos, aumentar a autoconfiança, melhorar as habilidades de comunicação ou persuasão, aprender a ser saudável e melhorar qualquer área da vida em que consiga pensar.

Para obter a lista completa dos livros favoritos de Hal sobre desenvolvimento pessoal, incluindo os que tiveram o maior impacto no sucesso, saúde e felicidade dele, veja a seção *Leituras recomendadas* em https://www.miraclemorning.com/brazil/.

O quanto você deve ler?

Recomendo assumir o compromisso de ler, no mínimo, dez páginas por dia (embora cinco sejam ótimas para começar se você lê devagar ou ainda não tem o hábito de ler).

Dez páginas podem não parecer muita coisa, mas vamos fazer as contas. Ler dez páginas por dia soma 3.650 páginas por ano, aproximadamente 18 livros de duzentas páginas, que permitirão levar a si mesmo e sua empresa a outro patamar. Tudo em apenas dez a 15 minutos de leitura diária, ou 15 a trinta minutos se você lê mais devagar.

Deixe-me perguntar: se você ler 18 livros de desenvolvimento pessoal e profissional nos próximos 12 meses, acha que vai melhorar sua mentalidade, ganhar mais confiança e aprender estratégias comprovadas que vão acelerar o seu sucesso? Você acha que será uma pessoa melhor e mais capaz do que é hoje? Você acha que isso vai se refletir na sua empresa? Sem dúvida! Ler dez páginas por dia não vai destruir você, mas vai definitivamente construir uma pessoa melhor.

Considerações finais sobre leitura

- Comece pensando no fim, analisando esta questão: o que você espera obter com este livro? Reserve um momento para fazer isso agora, perguntando a si mesmo o que pretende ganhar lendo esta obra.
- Os livros não precisam ser lidos do início ao fim e muito menos terminados. Lembre-se: é o *seu* momento de leitura. Use o Sumário para garantir que você leu as partes que mais interessam e não hesite em deixar de lado e passar para outro livro se não estiver gostando nem obtendo algum valor com a leitura. Existem várias formas de obter informações incríveis, e você não precisa perder tempo com o que é medíocre. Na verdade, sugiro que você pegue meu primeiro livro, *Double Double* [O dobro do dobro], e faça questão de ler apenas os capítulos que se aplicam melhor a você.
- A menos que esteja pegando um livro emprestado da biblioteca ou de um amigo, sinta-se à vontade para sublinhar, circular, marcar, dobrar as páginas e fazer anotações nas margens. O processo de marcar livros enquanto lê permite voltar a qualquer momento para relembrar as principais lições, ideias e benefícios sem precisar ler tudo de novo. Se você usa um leitor digital como Kindle, Nook ou o aplicativo iBooks,

poderá revisar facilmente suas anotações e passagens destacadas sempre que folhear o livro ou ir direto para uma lista de anotações e destaques.

- Resuma em um diário as principais ideias, percepções e passagens marcantes. Ao criar um resumo dos seus livros favoritos, você poderá revisitar o conteúdo principal deles a qualquer momento em poucos minutos.
- Reler bons livros de desenvolvimento pessoal é uma estratégia pouco utilizada, porém muito eficaz. Dificilmente você vai ler um livro uma vez e internalizar todo o seu valor. Dominar qualquer área exige repetição. Eu li livros como *Pense & enriqueça* pelo menos três vezes e volta e meia os consulto ao longo do ano. Por que não experimentar com este livro? Comprometa-se a reler *O Milagre da Manhã para empreendedores* assim que terminá-lo para aprofundar seu aprendizado e ganhar mais tempo para dominar as práticas aqui ensinadas.
- Audiolivros contam como leitura! Você obtém a informação e pode ouvi-los enquanto se exercita ou no caminho para o trabalho. Se quiser estudar um livro com cuidado, ouça o áudio enquanto lê o texto. Como mencionei anteriormente, eu gosto de ouvir audiolivros enquanto corro. Assim, consigo fazer duas atividades ao mesmo tempo, e a empolgação que sinto pelo material inspirador que ouço influencia como eu me sinto sobre os exercícios e vice-versa.
- E o mais importante: aplique rapidamente o que leu. Reserve tempo para seguir os conselhos que deseja incorporar em sua vida *enquanto estiver lendo*. Mantenha a agenda ao seu lado e reserve momentos para colocar o conteúdo em prática. Não se torne um viciado em desenvolvimento pessoal que lê muito e faz pouco. Conheci muita gente que se orgulha da quantidade de livros que leu, como se fosse alguma medalha de honra. Eu prefiro ler e colocar em prática um bom livro a ler dez livros e não fazer nada além de começar a ler o décimo primeiro. Embora ler seja uma ótima forma de obter conhecimento, percepções e estratégias, é a aplicação do

que você aprendeu que vai fazer avançar sua vida e empresa. Você se compromete a usar o que aprendeu neste livro e fazer o Desafio de Trinta Dias no final dele?

Fico feliz em saber! Vamos ao último item dos Salvadores de Vida.

ESCRITA

A maioria dos praticantes do *Milagre da Manhã* escreve em um diário por cinco a dez minutos todos os dias. Ao tirar os pensamentos da cabeça e escrevê-los você imediatamente ganha mais consciência, clareza e percepções valiosas que do contrário seriam esquecidos ou passariam despercebidos. O elemento de escrita do *Milagre da Manhã* permite escrever tudo pelo que você sente gratidão, além de documentar suas percepções, ideias, avanços, realizações, sucessos e lições aprendidas, incluindo qualquer área de oportunidade, crescimento ou melhora pessoal.

Se você é como Hal costumava ser, provavelmente terá alguns diários e cadernos parcialmente usados e quase intocados. Foi só quando ele começou a prática do *Milagre da Manhã* que escrever passou a ser um dos hábitos diários favoritos dele.

Escrever dará o benefício de direcionar conscientemente seus pensamentos, mas o mais poderoso serão as percepções que você vai obter ao revisar todos os diários, especialmente no fim do ano. Tony Robbins nos lembra de que "a vida digna de ser vivida é uma vida digna de ser registrada".

É difícil colocar em palavras o quanto a experiência de revisitar seus diários pode ser absurdamente construtiva. Michael Maher, coautor de *The Miracle Morning for Real Estate Agents* [O Milagre da Manhã para corretores de imóveis], é um ávido praticante dos Salvadores de Vida. Uma parte da rotina matinal de Michael consiste de registrar apreciações e afirmações no que ele chama de Livro de Bênçãos:

"O que você aprecia... APRECIE MESMO. *É hora de pegar nosso apetite insaciável pelo que desejamos e substituí-lo por um apetite e gratidão insaciáveis*

pelo que temos. Escreva sobre aquilo que valoriza, tenha gratidão, valorize e você terá mais do que deseja, além de relacionamentos melhores, mais bens materiais e mais felicidade."

Uma ótima prática para adicionar à rotina é escrever o que você aprecia em relação a vários aspectos de sua empresa. Quando escrevemos que apreciamos em relação a nossa equipe e seu desempenho, por exemplo, mesmo (e particularmente) quando não nos sentimos muito bem em relação a isso, é mais fácil se concentrar e capitalizar o que está indo bem. A prática de registrar apreciações ajuda a se concentrar no positivo, que vai ajudar você a se manter flexível e com foco na solução mesmo quando as circunstâncias forem desafiadoras.

Embora o ato de manter um diário traga vários benefícios, estes são alguns dos meus favoritos. Com a escrita diária, você poderá:

- **Obter clareza.** Escrever um diário vai oferecer mais clareza e entendimento sobre as circunstâncias passadas e atuais, ajudar na solução dos desafios e permitir que você faça um *brainstorm*, priorize e planeje suas ações a cada dia para otimizar o futuro.
- **Registrar ideias.** Você vai conseguir registrar, organizar e expandir suas ideias e não vai perder as informações importantes que está guardando para um momento oportuno.
- **Revisar lições.** O diário é um lugar para registrar, consultar e revisar todas as lições que você está aprendendo, tanto em relação às vitórias como aos erros que comete pelo caminho.
- **Reconhecer o progresso.** Reler o seu diário de um ano ou até uma semana atrás e observar o quanto você progrediu é imensamente benéfico. Em geral cumprimos uma tarefa ou conquistamos um objetivo e seguimos para o próximo sem reconhecer o nosso esforço. Observar o quanto você já avançou é uma das experiências mais prazerosas, reveladoras e inspiradoras e que não pode ser realizada de outra forma.
- **Melhorar a memória.** As pessoas supõem que vão se lembrar das ideias, das ações que desejam realizar e das perguntas que fizeram,

mas, se você já foi ao supermercado sem uma lista de compras, sabe que isso simplesmente não acontece. Quando escrevemos algo, a probabilidade de nos lembrarmos é muito maior, e, se esquecermos, sempre é possível voltar às anotações e reler.

FOCO NA LACUNA: ISSO ESTÁ AJUDANDO OU PREJUDICANDO VOCÊ?

A lacuna de potencial humano varia de pessoa para pessoa. Você pode sentir que está muito perto do seu potencial, e alguns pequenos ajustes podem fazer toda a diferença; ou você pode sentir o oposto, considerando seu potencial tão distante que nem sabe por onde começar. Seja qual for o caso, saiba que é totalmente possível e alcançável viver no lado certo da sua lacuna de potencial e se tornar a pessoa que você é capaz de ser.

Não importa se você atualmente está com uma lacuna de potencial do tamanho do Grand Canyon e questionando como vai chegar ao outro lado ou se está trabalhando para atravessar esse desfiladeiro, mas empacou e não conseguiu preencher a lacuna para chegar ao próximo nível: é hora de mudar o foco.

Os seres humanos estão condicionados a ter o que chamo de *foco na lacuna*. Tendemos a nos concentrar nas lacunas entre onde estamos e onde queremos estar, entre o que conquistamos e o que poderíamos, deveríamos ou queríamos conquistar. E nos concentramos na lacuna entre quem somos e a visão idealista da pessoa que acreditamos que devemos ser.

O problema é que esse foco constante na lacuna pode prejudicar nossa confiança e autoimagem, nos levando a pensar que não temos o bastante, não conquistamos o bastante e simplesmente não somos bons o bastante, ou pelo menos não tão bons como deveríamos. *E nunca seremos.*

Os empreendedores de sucesso costumam ser péssimos nisso, constantemente negligenciando ou minimizando as próprias conquistas, criticando-se a cada pequeno erro e imperfeição, sem nunca acreditar que são bons no que fazem.

A ironia é que o foco na lacuna é uma parte enorme do motivo pelo qual as pessoas de sucesso *têm* sucesso. O desejo insaciável de preencher a lacuna é o que alimenta a busca pela excelência e as motiva a conquistar cada vez mais. O foco na lacuna pode ser saudável e produtivo se vier de uma perspectiva positiva e proativa: "Eu me comprometo e tenho empolgação para desenvolver meu potencial." Infelizmente, isso quase nunca acontece. A pessoa comum, mesmo a pessoa de sucesso comum, tende a se concentrar negativamente nas próprias lacunas.

As pessoas de *maior* sucesso, equilibradas e com foco em se elevar até o sucesso *nível 10* em praticamente todas as áreas da vida são excessivamente gratas pelo que alcançaram, reconhecem suas conquistas o tempo todo e estão sempre em paz com a situação atual de sua vida. É uma ideia conflitante: *Estou fazendo o melhor que posso agora,* e ao mesmo tempo: *Eu posso e vou fazer melhor no futuro.* Essa autoavaliação equilibrada impede a sensação de que falta algo, de não ser, ter ou fazer o bastante e permite lutar para preencher a lacuna de potencial em todas as áreas da vida.

Em geral, quando um dia, semana, mês ou ano acaba e estamos com o foco na lacuna, é quase impossível fazer uma avaliação precisa do progresso que fizemos. Por exemplo, se você tem dez itens na sua lista de tarefas para o dia, mesmo que tenha terminado seis deles, o foco na lacuna faz você sentir que não fez tudo o que gostaria.

A maioria das pessoas *acerta* dezenas, até centenas de tarefas durante o dia e erra outras tantas. Adivinha do que elas lembram e o que repassam na cabeça repetidamente? Não faz mais sentido se concentrar nas cem tarefas que você acertou? Sem dúvida é mais prazeroso.

O que isso tem a ver com manter um diário? Escrever todos os dias com um processo estruturado e estratégico (falarei mais sobre isso em um minuto) permite direcionar o foco para o que você realmente *fez*, os motivos da sua *gratidão* e o que você se compromete a fazer melhor hoje. Essa prática permite apreciar mais profundamente a jornada a cada dia, sentir-se bem em relação aos progressos e usar essa clareza para acelerar os resultados.

Embora escrever dê a você os benefícios diários imediatos de direcionar conscientemente o pensamento e foco, o que pode ser ainda mais poderoso são os insights que você vai ganhar ao revisar e reler seus diários. É difícil expressar em palavras como a experiência de voltar e revisar seus diários pode ser construtiva.

Como manter um diário de modo eficaz

Veja três passos simples para começar a manter um diário ou melhorar o seu processo atual.

Primeiro passo: Escolha um formato: físico ou digital. Você vai ter que decidir com antecedência se prefere um diário tradicional e físico ou um digital (no computador ou em um aplicativo para dispositivo móvel). Se você não tiver certeza, experimente ambos e veja o que mais lhe agrada.

Segundo passo: obtenha o diário de sua escolha. Quase tudo pode funcionar, mas, quando se trata de um diário físico, é importante ter qualidade e ser agradável ao olhar. Afinal, a ideia é guardá-lo pelo resto da vida. Gosto de comprar diários com capa de couro duráveis e pautados, mas o diário é seu, então escolha o que funcionar melhor para você. Alguns preferem diários com páginas sem pauta para poder desenhar ou criar mapas mentais, enquanto outros gostam de ter um livro com uma página para cada dia do ano a fim de ajudá-los a se responsabilizar no dia a dia.

Estes são alguns dos diários físicos prediletos da Comunidade de *O Milagre da Manhã* no Facebook:

- *The Five Minute Journal* [em inglês] é muito popular entre as pessoas de sucesso. Tem um formato específico para cada dia e temas como: "Sinto gratidão por..." e "O que faria o dia de hoje ser ótimo?" Exige cinco minutos ou menos e inclui uma opção para analisar o seu dia (FiveMinuteJournal.com).
- *The Freedom Journal* [em inglês] oferece um processo diário e estruturado que se concentra em um tema: *conquistar seu objetivo número 1 em cem dias*. Lindamente criado por John Lee Dumas, do podcast *Entrepreneur On Fire*, é feito especificamente para ajudar você a criar e conquistar um grande objetivo por vez (TheFreedomJournal.com).

- *The Bullet Journal* [em inglês] (BulletJournal.com) é um diário que você pode comprar, mas também é um sistema personalizado que você pode incorporar ao diário físico de sua escolha. Pode ser a sua lista de tarefas, um caderno de desenhos, um caderno de anotações e um diário, mas é bem provável que seja tudo isso. Nossa coautora Honorée recomenda o Bullet Journal e o utiliza como sistema diário de organização.
- *O Milagre da Manhã: Diário* foi feito especificamente para aperfeiçoar o *Milagre da Manhã*, além de manter você organizado e responsável ao praticar os Salvadores de Vida todos os dias. Baixe uma amostra grátis em **https://www.miraclemorning.com/brazil/** para ter certeza de que ele funciona para você.

Se você preferir um diário digital, existem várias opções disponíveis. Algumas das mais conhecidas são:

- O *Five Minute Journal* também existe como aplicativo de iPhone, que segue o mesmo formato da versão física, mas permite usar fotografias nas anotações diárias e manda lembretes úteis para melhorar seus escritos todas as manhãs e noites (FiveMinuteJournal.com).
- O *Day One* é um aplicativo muito popular para manter diários, perfeito para quem não deseja estrutura ou limites para escrever. O *Day One* oferece uma página em branco para cada dia, então, se você gosta de escrever textos grandes, este pode ser o aplicativo ideal (DayOneApp.com).
- O *Penzu* é um diário on-line muito conhecido que não exige iPhone, iPad ou dispositivo Android. Você só precisa de um computador (Penzu.com).

Mais uma vez, é tudo uma questão de preferência e dos recursos que você deseja. Se você não se identificar com nenhuma dessas alternativas, digite "diário on-line" no Google ou "diário" na loja de aplicativos do seu dispositivo e você encontrará várias opções.

Terceiro passo: escreva todos os dias. Você vai achar incontáveis assuntos para registrar. Anotações sobre o livro que está lendo, uma lista de motivos para sentir gratidão e de três a cinco prioridades para o dia são boas opções para começar. Escreva o que o faz se sentir bem e o que otimiza o seu dia. Não se preocupe com a gramática, a ortografia ou a pontuação. O diário é o lugar para deixar a imaginação correr solta, então cale a boca do seu crítico interno e não revise, apenas escreva!

PERSONALIZANDO OS SALVADORES DE VIDA

Sei que em alguns dias você talvez não consiga praticar o *Milagre da Manhã* de uma vez só. Fique à vontade para separar os Salvadores de Vida da forma que funcionar melhor para você.

Quero dividir algumas ideias especificamente em relação a personalizar os Salvadores de Vida com base em seus horários e preferências. Sua rotina matinal de hoje talvez permita encaixar um *Milagre da Manhã* de seis, vinte ou trinta minutos, mas você pode fazer uma versão mais longa nos fins de semana.

Veja um exemplo bem comum de um cronograma de sessenta minutos para o seu *Milagre da Manhã*.

- Silêncio: 10 minutos
- Afirmações: 5 minutos
- Visualização: 5 minutos
- Exercícios: 10 minutos
- Leitura: 20 minutos
- Escrita: 10 minutos

A ordem também pode ser personalizada. Eu prefiro fazer os exercícios primeiro para aumentar o fluxo sanguíneo e despertar, mas você pode achar melhor deixar o exercício por último a fim de não ficar suado durante o *Milagre da Manhã*. Hal prefere começar com um período de silêncio tranquilo e deliberado para acordar devagar e clarear a mente, concentrando a energia e as intenções. Contudo, estamos falando do seu *Milagre da Manhã*, e não do nosso, então experimente várias sequências e veja a que mais lhe agrada.

Depleção do ego e *O Milagre da Manhã*

Você já se perguntou por que consegue resistir a doces na parte da manhã, mas acaba cedendo à tarde ou à noite? Por que às vezes a força de vontade é grande e em outras ocasiões ela nos deixa na mão? Porque a força de vontade é como um músculo que se cansa com o uso e no fim do dia é mais difícil nos obrigar a fazer atividades que nos servem e evitar as que não nos servem.

A boa notícia é que sabemos como isso funciona e podemos nos preparar para o sucesso ao planejar com antecedência. E a ótima notícia? *O Milagre da Manhã* faz parte desse planejamento, mas antes precisamos entender a depleção do ego.

Depleção do ego é um conceito usado para descrever "a diminuição da capacidade de regular os pensamentos, sentimentos e ações", segundo Roy F. Baymeister e John Tierney, autores de *Willpower* [Força de vontade]. A depleção do ego piora no fim do dia, quando estamos com fome, cansados ou precisamos exercer a força de vontade com mais frequência ou por longos períodos.

Se você esperar até o fim do dia para fazer algo importante que lhe dê energia e o ajude a se transformar na pessoa e no empreendedor que deseja ser, vai descobrir que suas desculpas são mais irresistíveis e a motivação foi embora. Mas, quando você acorda e faz o *Milagre da Manhã* imediatamente, sente o aumento na disposição e na consciência fornecido pelos Salvadores de Vida e evita que a depleção do ego atrapalhe o seu dia.

Ao fazer os Salvadores de Vida todos os dias, você aprende a mecânica da formação de hábitos quando a força de vontade está maior e pode usar esse conhecimento para adotar pequenos hábitos factíveis em outros momentos do dia.

CONSIDERAÇÕES FINAIS SOBRE OS SALVADORES DE VIDA

Tudo é difícil antes de ser fácil. Toda experiência nova é desconfortável antes de se tornar confortável. Quanto mais você pratica os Salvadores de Vida, mais naturais e normais eles se tornam. A primeira vez que Hal meditou quase foi a última, pois a mente dele acelerava como uma Ferrari e os pensamentos quicavam de modo incontrolável, como uma bolinha de fliperama. Hoje em dia ele adora meditar e, embora não seja um mestre, ele alega ser razoável nisso.

Da mesma forma, tive problemas com as afirmações quando comecei a fazer o *Milagre da Manhã*. Como não sabia o que desejava afirmar, usei algumas frases do livro *O Milagre da Manhã* e acrescentei outras que me vieram à cabeça. Deu certo, mas elas não eram realmente *significativas* para mim no começo. Ao longo do tempo, à medida que encontrava frases poderosas, eu as acrescentava às minhas afirmações, adaptando o que já tinha. Agora, as afirmações significam muito para mim, e o ato diário de usá-las ganhou muito mais força.

Convido você a praticar os Salvadores de Vida desde já para se familiarizar e ficar confortável com todos eles e antes de começar o Desafio de *O Milagre da Manhã* para mudança de vida em trinta dias, no Capítulo 10.

O MILAGRE DA MANHÃ DE SEIS MINUTOS

Se a sua maior preocupação é arranjar tempo, não se preocupe. Eu vou ajudar. Você pode fazer o *Milagre da Manhã* e receber todos os benefícios dos seis Salvadores de Vida em apenas seis minutos. Embora esta não seja a duração que eu recomende sempre, nos dias em que você estiver com pouco tempo, faça cada um dos Salvadores de Vida por um minuto:

Primeiro minuto (silêncio): feche os olhos e aproveite um momento de silêncio tranquilo e deliberado para esvaziar a mente e se equilibrar para o dia.

Segundo minuto (afirmações): leia sua afirmação mais importante para reforçar *qual* resultado você deseja conquistar, *por que* ele é importante para você, *quais* ações específicas você precisa realizar e o mais importante: *quando* você vai se comprometer a fazê-las.

Terceiro minuto (visualização): visualize-se executando sem falhas a ação mais importante que você deseja realizar naquele dia.

Quarto minuto (exercícios): fique em pé e faça vários polichinelos, flexões ou agachamentos para acelerar os batimentos cardíacos e movimentar o corpo.

Quinto minuto (leitura): pegue o livro que escolheu e leia uma página ou parágrafo.

Sexto minuto (escrita): pegue seu diário e escreva um motivo para sentir gratidão e o resultado mais importante a ser obtido naquele dia.

Tenho certeza de que, mesmo em seis minutos, os Salvadores de Vida vão colocar você no caminho certo para o dia. E você sempre poderá dedicar mais tempo a eles quando a agenda permitir ou surgir a oportunidade. Fazer a prática de seis minutos é um jeito de começar o pequeno hábito de aumentar sua confiança ou mantê-lo em um dia difícil. Outro pequeno hábito que você pode fazer é começar por um dos Salvadores de Vida e acrescentar outros depois de se acostumar a acordar mais cedo. Lembre-se de que a ideia é ter tempo para trabalhar nos seus objetivos e mentalidade. Então, se você estiver sobrecarregado, não vai funcionar.

Para mim, o *Milagre da Manhã* passou a ser um ritual diário de renovação e inspiração que eu amo demais! Nos próximos capítulos, vou falar sobre os benefícios dos Salvadores de Vida e abordar *muitas* informações que têm o potencial de transformar você em um empreendedor realmente confiante. Mal posso esperar para dividi-las com você.

PERFIL DO EMPREENDEDOR

Yanik Silver

A empresa de Yanik Silver se chama EvolvedEnterprise.com.

PRINCIPAIS CONQUISTAS NOS NEGÓCIOS

- A primeira ideia de um milhão de dólares de Yanik veio de madrugada, mais precisamente às três da manhã.
- Ele criou sete produtos e serviços do zero e chegou à marca dos sete dígitos sem financiamento, sem se endividar ou ter um plano de negócios.
- Ele acredita em retribuir, e suas empresas contribuíram com mais de 3,5 milhões de dólares para a causa do empreendedorismo e parcerias com organizações sem fins lucrativos.
- Yanik organizou programas com ícones como Sir Richard Branson, Tony Hawk, Chris Blackwell, John Paul DeJoria, Tony Hsieh, Russell Simmons e Tim Ferriss.
- Ele foi convidado para fazer parte do conselho da Virgin Unit, a organização sem fins lucrativos de Richard Branson.

ROTINA MATINAL

- A manhã de Yanik começa por volta das 8h30.
- Ele toma 250ml de água com um limão recém-espremido.

- Em seguida, faz ioga por trinta minutos no quintal de casa.
- Depois ele medita por vinte minutos.
- Yanik escreve em um diário por dez a 15 minutos, concentrando-se na gratidão ou nos pensamentos que surgiram durante a meditação.
- Ele ouve música enquanto toma o café da manhã.
- Ele consome mel local, pólen de abelhas e outros suplementos alimentares.
- Depois, lê por 15 a trinta minutos, geralmente algo inspirador ou sobre o "quadro geral" da cosmologia.
- Yanik verifica seus e-mails e depois escreve, cria conteúdo ou faz reuniões.

PARTE II:

HABILIDADES PARA ELEVAR O EMPREENDEDOR

Capítulo 4

PRIMEIRA HABILIDADE PARA ELEVAR O EMPREENDEDOR:

Liderança pessoal

Seu nível de sucesso não vai exceder o nível de desenvolvimento pessoal, porque o sucesso é algo que você atrai pela pessoa em quem se transforma.

— Jim Rohn

Mentiram para nós. Sim, a sociedade nos condicionou a pensar que o *único* jeito de ter mais é fazendo mais.

Quer mais dinheiro? Trabalhe *mais*. Acumule *mais* horas.

Quer mais sexo? Pegue *mais* peso e acumule *mais* passos na academia.

Mas e se o verdadeiro segredo para ter mais do que desejamos na vida não for *fazer* mais e sim *se transformar* em mais?

Essa é a filosofia que deu origem e continua sendo a base para *O Milagre da Manhã*: o seu nível de sucesso *em todas as áreas da vida* sempre será determinado pelo seu nível de *desenvolvimento pessoal*, que envolve fatores como crenças, conhecimentos, inteligência emocional, habilidades, qualificações, fé etc. Então, se quisermos ter mais, primeiro precisamos ser mais.

Pense da seguinte forma: se você tivesse que medir o nível desejado de sucesso em uma escala de um a dez em todas as áreas da vida, pode-se dizer com segurança que você quer o sucesso nível 10 em tudo. Jamais conheci alguém que dissesse: "Ah, eu não quero ser feliz demais, saudável demais ou rico demais. Fico satisfeito com menos do que o meu potencial e estaria bem com uma vida nível cinco."

Então, a pergunta é: o que você vai fazer a cada dia a fim de garantir que vai se tornar uma pessoa nível 10 para que o sucesso nível 10 esteja garantido?

Em outras palavras, a pessoa em quem você está se transformando é muito mais importante do que as suas ações, mas a ironia é que as suas ações diárias determinam em quem você está se transformando.

Espero que, a esta altura, você já tenha começado o *Milagre da Manhã* e inicie os dias com os Salvadores de Vida, pelo menos alguns deles.

Como empreendedor, eu sei que você sabe como é difícil (leia-se impossível) vender para os outros algo que você não compraria.

O seu papel como empreendedor é encontrar pessoas que possam se beneficiar dos produtos e serviços que você oferece. Se você não acredita que sua empresa ou produto é altamente benéfico para o cliente, será impossível convencer os outros a comprar de você. É preciso formar uma equipe com pessoas que acreditam nos seus produtos e serviços tanto quanto você, para ajudar a expandir sua empresa.

Você leva os clientes em potencial a tomar a melhor decisão de compra, guiando esses clientes por todas as opções existentes. E, assim como é impossível vender algo em que você não acredita, é impossível liderar os outros se você não sabe liderar a si mesmo.

O fundador da Self-Leadership International, Andrew Bryant, resumiu da seguinte forma: "Liderança pessoal é a prática de influenciar intencionalmente os pensamentos, sentimentos e comportamentos para conquistar seu(s) objetivo(s)... [É] ter uma ideia desenvolvida de quem você é, do que você faz e para onde vai, aliada à capacidade de influenciar sua comunicação, emoções e comportamentos no caminho para chegar lá."

Antes de revelar os princípios básicos da liderança pessoal, quero dividir com você o que descobri sobre o papel crucial da *mentalidade* como base para a liderança pessoal eficaz. As crenças passadas, a autoimagem e a capacidade de colaborar com outras pessoas e confiar nelas em momentos críticos vão se somar à capacidade de se destacar como líder pessoal.

SEJA CONSCIENTE (E CÉTICO) EM RELAÇÃO ÀS LIMITAÇÕES QUE VOCÊ SE IMPÕE

Você pode estar se agarrando a falsas crenças limitantes que interferem inconscientemente em sua capacidade de conquistar objetivos profissionais.

Por exemplo, você pode ser uma pessoa que repete: "Queria ser mais motivado" ou "Gostaria de ser melhor em achar ótimos clientes", mas você é totalmente capaz de gerar motivação e encher a agenda de reuniões. Pensar que não é capaz presume o fracasso iminente e prejudica sua capacidade de ter sucesso. A vida já tem obstáculos suficientes, não é preciso criar mais!

Os líderes pessoais eficazes analisam profundamente suas crenças, decidem quais servem para eles e eliminam as que não servem.

Quando se pegar dizendo algo que parece uma crença limitante, como "Não tenho tempo suficiente" ou "Eu jamais poderia fazer isso", faça uma pausa e transforme essas afirmações em perguntas fortalecedoras, como: *Onde posso arranjar mais tempo na minha agenda? Como posso fazer isso?*

Isso permite usar a criatividade congênita para encontrar soluções. Sempre existe um jeito quando se está comprometido com algo.

Veja a si mesmo como melhor do que antes

Como Hal escreveu em *O Milagre da Manhã*, a maioria de nós sofre com a síndrome do espelho retrovisor, limitando os resultados atuais e futuros com base em quem fomos no passado. Lembre-se: embora *onde você está seja resultado de quem você foi, para onde você vai depende inteiramente de quem você escolhe ser a partir de agora*. Isso é especialmente importante para empreendedores, porque nós vamos cometer erros. Não deixe que a ideia de culpa o impeça de olhar para a frente. Aprenda com os erros e aja melhor da próxima vez.

Todas as pessoas de sucesso, especialmente o 1% que mais se destaca, fizeram a escolha de se ver como melhores do que eram em algum momento. Essas pessoas pararam de manter crenças limitadoras com base no passado e começaram a formar crenças com base no potencial ilimitado.

Uma das melhores formas de fazer isso é seguindo a fórmula em quatro etapas de *O Milagre da Manhã* para criar afirmações voltadas para resultados, detalhada no capítulo anterior. Crie afirmações que reforcem o que é possível para você, sempre lembrando o seu resultado ideal, por que ele é importante para você, o que exatamente se compromete a fazer para conquistá-lo e quando se compromete a realizar essas ações.

Procure apoio ativamente

Fui coach de centenas de empreendedores, ensinando a expandir empresas e lidar com talentos e habilidades inatas, além de desafios e fraquezas, dando o apoio necessário a eles. Os que têm mais dificuldade são os que sofrem em silêncio. Eles supõem que todos os outros têm mais capacidade e se recusam a procurar ajuda.

Se essa descrição serve para você, então isso pode ajudar: todo empreendedor que conheci tem uma equipe de apoio. Eles conhecem as próprias qualidades e fraquezas. Por isso, eles não só aceitaram as lacunas e encontraram soluções como estão muito bem com a própria humanidade.

Os empreendedores que são líderes pessoais sabem que precisam de uma equipe de apoio para agir. Por exemplo, você pode precisar de ajuda administrativa para fazer o que mais sabe: expandir a empresa! Ou pode precisar de apoio em termos de responsabilização para superar a tendência a procrastinar. Todos nós precisamos de apoio em áreas diferentes da vida; os ótimos líderes pessoais entendem e usam isso a seu favor.

A Comunidade de *O Milagre da Manhã* no Facebook é um ótimo lugar para buscar ajuda, pois os membros são positivos e receptivos. Tente participar de grupos locais que tenham objetivos e interesses profissionais similares aos seus. Recomendo muito obter um parceiro de responsabilização e, se possível, um coach de vida ou de negócios para ajudá-lo.

OS CINCO PRINCÍPIOS BÁSICOS DA LIDERANÇA PESSOAL

A liderança pessoal é uma habilidade, e toda habilidade é construída com base em princípios. Para crescer e alcançar o nível desejado de sucesso, será preciso se tornar um líder pessoal experiente. O meu jeito favorito de cortar a curva de aprendizado pela metade e diminuir o tempo necessário para chegar ao 1% dos melhores é adaptar às minhas circunstâncias as características e comportamentos dos que chegaram ao topo. Nos 25 anos em que fui coach de empreendedores, encontrei muitos líderes e uma infinidade de estratégias eficazes. Veja os cinco princípios que terão o maior impacto em seu compromisso com a liderança pessoal.

- Assumir 100% da responsabilidade.
- Priorizar a boa forma física e praticar exercícios prazerosos.
- Buscar a independência financeira.
- Sistematizar o seu mundo.
- Comprometer-se com o processo que gera resultados.

PRIMEIRO PRINCÍPIO: ASSUMIR 100% DA RESPONSABILIDADE

Aqui está a verdade: se a sua vida e a sua empresa não estão progredindo como você gostaria, a responsabilidade é sua.

Quanto mais rápido você se der conta disso, mais rápido vai avançar. Essa não foi uma afirmação grosseira. As pessoas de sucesso raramente são vítimas. Na verdade, um dos motivos para elas serem bem-sucedidas é assumir a responsabilidade ampla, total e irrestrita por todos os aspectos da vida, sejam pessoais ou profissionais, bons ou ruins, trabalho delas ou de outra pessoa.

Enquanto as vítimas costumam perder tempo e energia jogando a culpa nos outros e reclamando, os conquistadores estão ocupados criando os resultados e circunstâncias que desejam para sua vida. Enquanto os empreendedores medíocres reclamam que nenhum dos clientes em potencial está comprando por *este* ou *aquele* motivo e resmungam que o desempenho abaixo do esperado é culpa da equipe, os empreendedores de sucesso assumem 100% da responsabilidade por encontrar os clientes em potencial certos e, o mais importante, adquirir as habilidades necessárias para gerar volume e fazer as pessoas trabalharem corretamente. Eles estão tão ocupados trabalhando que não têm tempo de reclamar.

Ouvi Hal articular uma distinção profunda em uma de suas palestras: "O momento em que você assume 100% da responsabilidade por tudo na vida é o mesmo em que você retoma o poder de mudar tudo na vida. Contudo, a diferença crucial está em perceber que assumir a responsabilidade não é o mesmo que aceitar a *culpa*. Enquanto a culpa determina quem errou, a responsabilidade determina quem está comprometido a melhorar uma situação. Raramente interessa quem errou. O importante é que *você* esteja comprometido a melhorar a situação." Ele tem razão. E você ganha independência e força quando começa a pensar e a agir de acordo com esse preceito. Subitamente, a vida e os resultados estão sob seu controle.

Quando você realmente assume a responsabilidade pela própria vida, não há tempo para discutir quem errou ou de quem é a culpa. Entrar no jogo da culpa é fácil, mas não há mais lugar para ele em sua vida. Encontrar motivos pelos quais você não conquistou seus objetivos é para os outros. Afinal, você é responsável pelos seus resultados, bons e ruins. Você pode comemorar os acertos e aprender com os erros. De qualquer modo, sempre há uma escolha em relação à forma de responder ou reagir em qualquer situação.

Um dos motivos da importância dessa mentalidade é a liderança pelo exemplo. Se você sempre procura alguém para culpar, a sua equipe percebe isso e provavelmente não respeita as suas decisões. Como um pai ou mãe que tenta trazer à tona o melhor dos filhos, seus liderados estão sempre observando você. Portanto, viver de acordo com os valores que você deseja incutir em cada um deles é crucial.

Esta é a mudança psicológica que sugiro a você: assuma a responsabilidade e a liderança por todas as suas decisões, ações e resultados, começando agora.

Substitua a culpa desnecessária pela responsabilidade inabalável. Mesmo se outra pessoa pisar na bola, pergunte o que você poderia ter feito e, o mais importante, o que poderá fazer no futuro para impedir que a bola volte a ser pisada. Embora não seja possível mudar o passado, a boa notícia é que você pode mudar todo o resto.

De agora em diante, não há dúvida sobre quem está no controle e é responsável por todos os resultados. Você toma as decisões, faz o acompanhamento, define os resultados que deseja e os consegue. Você é 100% responsável pelos seus resultados, certo?

Lembre-se: o poder e o controle estão em suas mãos, e não há limite para o que você pode conquistar.

ONDE ESTÁ A SUA DISCIPLINA?

A disciplina é a capacidade de se obrigar a fazer o que você sabe que será melhor a longo prazo. Em muitos casos, é simplesmente a capacidade de resistir às tentações de curto prazo. Quando usada com sabedoria e bom senso, a disciplina se torna uma das ferramentas mais importantes para o aperfeiçoamento pessoal e o sucesso profissional.

A disciplina é útil ao abordar vícios de qualquer tipo ou comportamentos indesejáveis. Ela vai melhorar seus relacionamentos, ajudar você a desenvolver paciência e tolerância, além de ser importante para alcançar o sucesso e a felicidade. Imagine ter disciplina para enfrentar tudo o que vier.

Como a disciplina ajuda você? Deixe-me explicar:

- Controla comportamentos autodestrutivos, viciantes, obsessivos e compulsivos.
- Dá a você uma noção de domínio e equilíbrio na vida.
- Ajuda a controlar as reações emocionais.
- Elimina sensações de desamparo e dependência em relação aos outros.

- Ajuda a conseguir o distanciamento mental e emocional (muito importante para empreendedores), que contribui para a paz de espírito.
- Permite controlar o seu humor, rejeitando sentimentos e pensamentos negativos.
- Fortalece a autoestima, a confiança, a força interior, a força de vontade e o autocontrole.
- Permite assumir o controle da própria vida.
- Traz estabilidade emocional.

Como desenvolver a disciplina

1. Primeiro, é preciso identificar as áreas da vida em que você precisa de mais disciplina. Onde ela está faltando para você?

Áreas possíveis para melhorar a disciplina:

- Comida
- Gastos
- Bebida
- Trabalho
- Jogo
- Fumo
- Comportamento obsessivo
- Procrastinação
- Amor (sim, amar exige disciplina em logo prazo.)

2. Tente identificar as emoções que indicam falta de controle, como raiva, insatisfação, infelicidade, ressentimento, prazer ou medo.
3. Identifique os pensamentos e crenças que levam você a se comportar de maneira descontrolada.
4. Várias vezes por dia, especialmente quando precisar exercer a disciplina, repita uma das seguintes afirmações (ou crie uma de acordo com a situação):

- Estou totalmente no controle de mim mesmo.
- Tenho o poder de escolher minhas emoções, pensamentos e ações.
- A disciplina me dá força interior e me leva ao sucesso.
- Estou no controle do meu comportamento.
- Sou o mestre da minha vida.
- A disciplina é divertida e prazerosa.

5. Use a visualização nos Salvadores de Vida para se imaginar agindo com disciplina. Pense em uma área da vida em que você geralmente age de modo indisciplinado e se visualize agindo calmamente e com domínio de si mesmo.

COMO VAI A SUA AUTOESTIMA?

Ter autoestima é ter respeito por si mesmo. A autoestima saudável ou positiva pode ajudar você a manter a cabeça erguida e a sentir orgulho de si mesmo e de suas ações, mesmo quando a vida não estiver indo bem. A autoestima dá a coragem para experimentar novas experiências e o poder de acreditar em si mesmo. O meu sucesso foi diretamente influenciado pela autoestima, então sei que tê-la pode significar sucesso e que a falta dela pode significar fracasso. Se a sua empresa não está se expandindo na velocidade que você gostaria, a falta de autoestima pode ser a causa. Como disse Maxwell Maltz, autor de *Liberte sua personalidade*: "A baixa autoestima é como dirigir pela vida com o freio de mão puxado."

É crucial que você se permita ter orgulho de si mesmo. Na verdade, vou revelar um segredo que alguns consideram um pouco fútil. Quando faço algo que me dá orgulho, geralmente reviso muitas vezes. Digamos que eu tenha redigido um e-mail para minha equipe ou para um cliente em potencial que considerei muito bom. Eu leio aquele e-mail várias vezes e talvez o salve para revisar depois. Se eu fiz uma apresentação ou gravei um vídeo que considerei muito bom, eu o assisto não só para criticar mas também para curtir um pouco as partes que me deram orgulho. Para mim, é algo parecido com fazer afirmações. Eu me lembro do que gosto em mim, e a autoestima é isso, no fim das contas. Sim, precisamos ser realistas em relação às nossas fraquezas e sempre lutar para melhorar, mas não hesite em ter orgulho de seus pontos fortes e aprecie as pequenas vitórias.

Ao ler este livro, e sugiro que você leia mais de uma vez, recomendo abordar sistematicamente as áreas em que você sabe que precisa de aperfeiçoamento e expansão. Se a autoestima precisa de um gás, aja para melhorá-la. Crie afirmações para aumentar e desenvolvê-la ao longo do tempo. Visualize-se agindo com mais confiança, melhorando os padrões pessoais e se amando mais. A sua autoestima vai aumentar para ficar de acordo com a sua visão.

Uma autoestima inabalável é uma ferramenta poderosa. Você provavelmente já sabe que ter uma atitude negativa não o levará a lugar algum! Não há dúvida de que empreendedores encontram mais rejeição do que a pessoa comum. Na verdade, se você estiver trabalhando corretamente para expandir a empresa, vai enfrentar rejeição o tempo todo!

Sem a atitude certa, toda essa rejeição pode ter um preço. Você recebe vários nãos e algumas pessoas nem atendem as suas ligações. Enfrentar isso todo dia exige uma autoestima inabalável.

SEGUNDO PRINCÍPIO: PRIORIZAR A BOA FORMA FÍSICA E PRATICAR EXERCÍCIOS PRAZEROSOS

Em uma escala de um a dez, como você definiria sua saúde e capacidade física? Você está em forma? Forte? Você se *sente bem* no geral?

E o nível de disposição durante o dia? Você tem mais energia do que consegue gastar? Consegue levantar antes do alarme para fazer o que é importante, lidar com todas as demandas e apagar os incêndios inevitáveis, terminando o dia com tranquilidade, disposição e fôlego?

Falamos sobre os exercícios na parte dos Salvadores de Vida, e, sim, vou abordar isso de novo agora. Está comprovado que a saúde e a boa forma física são fatores cruciais para manter os níveis de disposição e sucesso, especialmente para empreendedores, porque, ao contrário dos funcionários, você não recebe com base no horário em que bate o ponto. Você recebe com base na qualidade dos resultados que produz no período de tempo em que trabalha. Ser empreendedor é um esporte que exige disposição. Como qualquer esporte, é preciso ter um suprimento extraordinário de vigor para se destacar.

Portanto, não surpreende que as três prioridades entre as pessoas de alto desempenho sejam a qualidade da alimentação, do sono e os exercícios físicos. Vamos detalhar cada um deles no próximo capítulo, que fala sobre engenharia de energia, mas vamos começar garantindo a prática diária de exercícios. O segredo é encontrar atividades físicas que você goste de fazer.

O exercício físico precisa ser prazeroso. A relação entre boa forma física, felicidade e sucesso é inegável. Não é coincidência que você raramente veja pessoas de alto desempenho que estejam terrivelmente fora de forma. A maioria delas agenda e dedica entre trinta e sessenta minutos diários à academia ou pista de corrida porque entende o papel crucial do exercício físico diário para o sucesso.

Embora os exercícios físicos como parte dos Salvadores de Vida façam você começar o dia com cinco a dez minutos de movimento, recomendamos o compromisso de fazer entre trinta e sessenta minutos de atividades adicionais entre três e cinco vezes por semana. Isso vai garantir que a aptidão física forneça a energia e a confiança de que você precisa para ter sucesso.

Melhor ainda é se envolver em algum tipo de exercício que traga um nível profundo de prazer. Desde fazer trilha ao ar livre e praticar *ultimate frisbee* até colocar uma bicicleta ergométrica na frente da TV e assistir ao seu episódio favorito de *Breaking Bad* até esquecer que está se exercitando. Ou você pode fazer o mesmo que o Hal: ele ama praticar wakeboard e jogar basquete, duas excelentes modalidades de atividade física, alternando os esportes ao longo da semana. Você verá a agenda básica do Hal em breve e saberá como essas atividades se encaixam nas outras prioridades dele.

Quais atividades físicas você gosta de praticar e pode se comprometer a agendar como parte do seu ritual diário de exercícios?

TERCEIRO PRINCÍPIO: BUSCAR A INDEPENDÊNCIA FINANCEIRA

Como está a sua jornada rumo à independência financeira? A sua empresa é altamente lucrativa? Você está ganhando muito mais dinheiro do que precisa para sobreviver a cada mês? Você consegue poupar, investir e dividir de modo consistente uma parte significativa da sua renda? Você está sem dívidas e tem uma grande reserva que permite capitalizar as oportunidades que aparecem e enfrentar qualquer tempestade financeira inesperada? Você está a caminho da independência financeira para que sua renda passiva recorrente exceda as despensas mensais recorrentes? Se a resposta for sim, parabéns. Você faz parte de uma porcentagem muito pequena de empreendedores que está verdadeiramente prosperando nas finanças.

Se não for o caso, você não está sozinho. A maioria das pessoas tem menos de 10 mil dólares em patrimônio e uma média de 16 mil dólares em dívidas. Não vou julgá-lo caso as suas finanças ainda não estejam onde você gostaria. Apenas recomendo voltar ao primeiro princípio nada óbvio do empreendedorismo e assumir a responsabilidade total pela sua situação financeira.

Já vi e ouvi todos os motivos para alguém afundar em dívidas, não conseguir poupar nem ter reservas financeiras. Nenhum deles importa agora. Sim, o melhor momento para começar a economizar uma porcentagem da sua renda foi cinco, dez ou vinte anos atrás, mas o segundo melhor momento é agora. Independentemente de você ter 20, 40 ou 60 anos de idade, nunca é tarde para assumir o controle das finanças pessoais. Você vai sentir um aumento enorme na disposição ao assumir o controle nessa área e poderá usar a poupança acumulada para criar ainda mais riqueza, porque vai ter dinheiro para investir em novas oportunidades. Parece bom, não é?

Existe uma boa probabilidade de a sua decisão de se tornar empreendedor ter sido parcialmente movida por um desejo de independência financeira, mas o empreendedorismo exige mais do que isso. Já vi *muitos* empreendedores ganharem milhões de dólares e acabarem sem dinheiro por causa de decisões financeiras ruins. No fim das contas, aprender a ganhar dinheiro é apenas metade da batalha. Aprender a *mantê-lo* poupando e investindo com sabedoria é a segunda parte do quebra-cabeça, e aprender a criar múltiplos fluxos de renda para nunca mais depender de um só é o próximo nível, que vamos abordar nas próximas páginas.

A independência financeira não é algo que se consegue da noite para o dia. É resultado de desenvolver *agora* a mentalidade e os hábitos que vão levar ao caminho para conquistá-la.

Estes são os quatro passos práticos que você pode dar agora para começar este caminho:

Primeiro passo: reserve 10% da renda para poupar e investir.

Isso é fundamental. Na verdade, recomendo que você comece pegando 10% de tudo o que tiver no banco agora e colocando em uma conta poupança separada (pode ir, eu espero). Faça os ajustes necessários no estilo de vida para viver com 90% de sua renda atual. Um pouco de disciplina e sacrifício é o caminho para o sucesso. Ao ver esses 10% aumentarem com o tempo, o processo fica empolgante e você começa a *sentir* o que é possível para o futuro.

Segundo passo: reserve mais 10% para doar.

A maioria das pessoas ricas doa uma porcentagem de sua renda para causas em que acreditam. Warren Buffett recentemente doou 2,8 bilhões de dólares para a caridade. "Não é vergonha ganhar dinheiro. Vergonha é não usá-lo para ajudar os outros", disse Jeff Hoffman, empreendedor em série que foi amplamente responsável pela fundação do Priceline.com, a empresa que chegou mais rapidamente aos 10 bilhões de dólares em vendas.

Mas não é preciso esperar até ficar rico para começar essa prática. Segundo Tony Robbins "Se você não doar um dólar a cada dez, nunca doará um milhão a cada dez milhões." Não consegue reservar 10% sem deixar de pagar o aluguel? Tudo bem, então comece com 5%, 2% ou 1%. Não é a quantia que importa, e sim desenvolver a mentalidade e criar um hábito capaz de mudar o seu futuro financeiro e servir a você pelo resto da vida. É preciso ensinar ao subconsciente que é possível produzir renda abundante, que existe mais do que o suficiente e sempre haverá mais no futuro.

Desenvolver continuamente a mentalidade financeira.

Como empreendedor, o dinheiro é um dos assuntos mais importantes a serem dominados, e você pode começar acrescentando os seguintes livros que abordam vários aspectos da independência financeira à sua lista de leitura:

- *Lucro primeiro: Transforme seu negócio de uma máquina de gastar dinheiro em uma máquina de fazer dinheiro,* de Mike Michalowicz
- *Os segredos da mente milionária,* de T. Harv Eker
- *The Total Money Makeover: A Proven Plan for Financial Fitness* [A reforma total do dinheiro: Um plano comprovado de adequação financeira], de Dave Ramsey
- *A via expressa dos milionários: Desvende o código da riqueza e viva rico por uma vida inteira,* de MJ DeMarco
- *Dinheiro: 7 passos para a liberdade financeira,* de Tony Robbins
- *Pense & enriqueça,* de Napoleon Hill
- *Pai rico, pai pobre: O que os ricos ensinam aos filhos sobre dinheiro,* de Robert Kiyosaki

Diversificar as fontes de renda

Não importa se você é empreendedor em série, CEO, fornecedor independente ou ainda tem um emprego em horário comercial e sonha com mais: você valoriza a segurança financeira no presente e deseja a independência financeira no futuro mais próximo possível. Criar uma ou mais fontes adicionais de renda já deixou de ser um luxo. Na economia imprevisível de hoje, virou uma necessidade.

Diversificar as fontes de renda, também conhecido como criar múltiplos fluxos de renda, é uma das melhores decisões que você pode tomar. É crucial não só se proteger dos inevitáveis altos e baixos dos ciclos econômicos como também estabelecer uma vida de independência financeira. Devido aos riscos financeiros que surgem ao confiar em *uma* fonte de renda, como um emprego ou até uma empresa, recomendo fortemente se concentrar em criar pelo menos uma ou mais fontes adicionais para gerar fluxo de caixa.

Aos 25 anos, Hal começou a planejar a estratégia para sair de uma carreira lucrativa e bem-sucedida como vendedor e buscar o sonho de ser empreendedor em tempo integral. Enquanto ainda trabalhava com vendas, ele abriu a primeira empresa e conseguiu o primeiro fluxo de renda adicional oferecendo coaching em vendas para vendedores e empresas. Quando a economia americana entrou em crise, em 2008, a renda de Hal dependia quase totalmente do trabalho como coach. Quando mais da metade dos clientes não conseguia pagar pelo serviço de coaching e ele perdeu mais da metade da renda, Hal jurou que nunca mais dependeria de uma só fonte.

A cada ano, usando a mesma fórmula passo a passo destacada anteriormente neste livro, Hal acrescentou nove fontes de renda adicionais e significativas, como programas de coaching individuais e em grupo, escrever livros, ministrar palestras, participar de *masterminds* pagos, fazer podcasts, publicar livros em outros países, trabalhar com franquias, publicar a série de livros *O Milagre da Manhã*, além das fontes de renda afiliada e da organização de eventos presenciais.

Os seus fluxos de renda adicionais podem ser ativos, passivos ou uma combinação dos dois. Alguns podem pagar para você fazer trabalhos que ama (ativos), enquanto outros podem gerar renda sem muito esforço da sua parte (passivos). É possível diversificar os fluxos de renda entre ramos de negócio diferentes para se proteger de grandes perdas durante retrações em um mercado e permitir que você se beneficie de expansões em outro.

Embora a abordagem de Hal para criar múltiplos fluxos de renda seja apenas uma entre incontáveis opções (você pode comprar imóveis, investir em ações, abrir lojas físicas etc.), os passos a seguir oferecem um processo prático e direto para começar a desenvolver seus fluxos de renda.

O importante é transformar a diversificação de fontes de renda em prioridade. Reserve blocos de tempo de uma hora por dia em sua agenda, uma vez por semana ou algumas horas aos sábados para estabelecer fontes de renda adicionais que forneçam ganhos mensais extras, a fim de obter segurança financeira no presente e independência financeira no futuro mais próximo possível.

Estas são as oito etapas que Hal colocou em prática repetidamente e que você pode aplicar ou modificar de acordo com a situação.

Conquistar a segurança financeira

Essa etapa não é muito atraente, mas é crucial. Você pode pensar nela como um aviso. Não concentre tempo e energia em criar uma *segunda* fonte de renda até a *primeira* fonte estar garantida. Independentemente de você ter um emprego ou ser dono da própria empresa, concentre-se em estabelecer e garantir a renda mensal primária que vai cobrir seus gastos antes de buscar outros passos. Em outras palavras, não "queime os navios", como Cortés, a menos que tenha pelo menos um barco a remo que vai mantê-lo no mar durante a construção do seu iate.

Elucidar seu valor singular

Todo mundo neste planeta tem dons, habilidades, experiências e um valor singular a oferecer que adiciona valor a outras pessoas e pelos quais é possível ser muito bem remunerado. Descubra o conhecimento, experiência, habilidade ou solução que você tem ou pode criar e os outros vão encontrar valor e ficar felizes em pagar a você por isso. Lembre-se: o que pode ser um conhecimento básico para você não é para as outras pessoas. Aqui estão algumas formas de aumentar seu valor no mercado.

Primeira: *quem você é* e sua personalidade única sempre serão um diferencial em relação aos outros seres humanos na Terra. Muitas pessoas vão se identificar mais com a sua personalidade do que com a de outra pessoa oferecendo um valor similar ou até igual ao seu.

Segunda: o *conhecimento* é um fator que você pode aperfeiçoar relativamente rápido. Como Tony Robbins escreveu em *Dinheiro:* "Uma das razões pelas quais as pessoas são bem-sucedidas é o fato de elas terem um conhecimento que as outras não têm. Você paga seu advogado ou médico pelos conhecimentos e habilidades que você não detém."

Melhorar o conhecimento em uma área específica é uma forma eficaz de aumentar o valor que os outros vão pagar a você para ensinar o que sabe ou aplicar seu conhecimento em nome deles.

Terceira: a *apresentação* é a forma de diferenciar seu valor. Quando Hal escreveu *O Milagre da Manhã*, reconhecidamente precisou superar a insegurança em relação ao fato de não ter exatamente inventado a ideia de acordar cedo. Ele até questionou se haveria mercado para o livro, mas, como afirmaram centenas de milhares de leitores, a principal razão do impacto da obra foi a forma de apresentar as informações: simples e com um processo passo a passo que permitia melhorar significativamente qualquer área da vida, apenas mudando a forma de começar o dia. Então, como você pode apresentar a sua oferta para atrair as pessoas que deseja?

Identificar o seu público-alvo

Quem você está mais qualificado a servir? Graças ao seu histórico de vendedor bem-sucedido, Hal determinou que estava mais qualificado a servir outros colegas vendedores, por isso lançou seu primeiro programa de coaching. Agora ele serve a uma audiência bem maior em todo o mundo por meio da série de livros *O Milagre da Manhã* e dos eventos presenciais Best Year Ever Blueprint. Além disso, é coach de autores iniciantes e já estabelecidos que desejam criar fluxos de renda de sete dígitos por meio de livros e estratégias de back-end.

Com base no valor que você pode adicionar a outras pessoas ou nos problemas que pode ajudar a resolver, quem vai pagar pelo que você pode adicionar, pela solução fornecida ou pelos resultados que poderá ajudá-los a obter?

Construir uma comunidade autossustentável

Um momento crucial na vida financeira de Hal aconteceu quando ele ouviu o multimilionário Dan Kennedy explicar por que um dos bens mais valiosos do empreendedor é a lista de endereços de e-mail. Portanto, sempre se concentre em aumentá-la e cuidar dela. Na época, o *mailing* de Hal não ia além da família e amigos. Quando ele entendeu o potencial dos contatos, transformou o aumento daquela lista em prioridade.

Dez anos depois, além de ouvir o conselho de Dan e de expandir seu *mailing* para mais de cem mil assinantes fiéis, ele deu um passo além ao lançar e expandir uma das comunidades on-line de maior engajamento do mundo. A Comunidade de *O Milagre da Manhã* no Facebook virou um estudo de caso. Atualmente, ela tem mais de 55 mil integrantes em mais de setenta países, e o número aumenta a cada dia. Não é realista pensar que Hal consegue facilitar o engajamento com tantas pessoas sozinho ou que confia em sua equipe para essa tarefa. Em vez disso, por meio do método de tentativa e erro, ele descobriu como automatizar o crescimento da comunidade a ponto de atrair mais de três mil novos integrantes por mês e também a interação entre os integrantes para que a comunidade consiga ser autossustentável.

Veja algumas dicas de Hal para criar uma comunidade autossustentável:

Primeira: *escolha uma plataforma.* Embora seja importante se concentrar em construir uma lista de e-mails e se comunicar com sua comunidade individualmente, é importante estabelecer uma plataforma onde seja possível não só agregar valor de modo consistente como favorecer a comunicação entre os integrantes da comunidade de forma que eles agreguem valor uns aos outros. Embora isso possa ser facilitado por uma plataforma de participação como Kajabi (Kajabi.com) ou CMNTY (cmnty.com), Hal descobriu que usar um grupo do Facebook é vantajoso por algumas razões essenciais:

- A maioria das pessoas já entra no Facebook todos os dias.
- A funcionalidade interna dos grupos do Facebook permite o autogerenciamento.
- Outras pessoas do Facebook podem esbarrar em sua comunidade.

- Os membros podem compartilhar seu conteúdo com facilidade, além do produzido por eles mesmos.

Segunda: *convide pessoas para sua comunidade.* Você pode ter notado nas páginas iniciais deste livro, *Um convite especial do Hal*, que é um elemento fundamental de todos os livros da série *O Milagre da Manhã*. Esse é o principal método que ele usa para convidar pessoas de modo consistente a entrar no grupo do Facebook. O seu pode ser um "P.S." nos e-mails ou um botão clicável no seu site. Na verdade, se você acessar o site MiracleMorning.com também verá um botão que diz ENTRE NA COMUNIDADE com um link para o grupo do Facebook. Seja qual for o método que você escolher, faça questão de que ele seja visível aos clientes, possíveis clientes e a qualquer outra pessoa que gostaria de ter em sua comunidade.

Terceira: *estimule o engajamento em sua comunidade.* Comece dando instruções simples a todos os novos integrantes que os levem a interagir e agregar valor a outros integrantes. No grupo do Facebook Best Month Ever Challenge, os integrantes recebem quatro instruções simples: 1) Criar uma nova publicação que compartilhe a área/meta/objetivo que o participante tenha o compromisso de melhorar naquele mês. 2) Deixar um comentário positivo/encorajador/útil na publicação de outra pessoa. 2) Ver os vídeos BMEC [com links para os vídeos]. 4) Publicar na seção Group Daily [com instruções específicas sobre o que publicar].

Contudo, Hal recomenda fazer isso do modo mais simples possível, como usar o modelo PUBLICAR e COMENTAR. Basta pedir aos membros que *publiquem* algo relevante para eles e a comunidade e *comentem* a publicação de outra pessoa. Esse formato cria um fluxo consistente de novas publicações e engajamento na publicação de cada membro.

Outra comunidade on-line com alto nível de engajamento é o grupo do Facebook Mastermind Talks Alumni, exclusivo para frequentadores do Mastermind Talks Event (que por acaso foi onde Hal e eu nos conhecemos). Jayson guia o engajamento entre os membros com um modelo simples do tipo PEDIR e OFERECER. Você *pede* algo (um conselho, um feedback, uma apresentação etc.) ou *oferece* algo (conhecimento, material, ingressos para conferências etc.). O formato criou uma comunidade altamente engajada e autossustentável cujos membros fornecem apoio constante uns aos outros.

Quarta: *agregue valor de modo consistente.* Só porque a sua comunidade tem engajamento e é autossustentável, não significa que você deva se afastar. Na verdade, quanto mais você se envolver, melhor. Pode ser algo simples, como compartilhar materiais valiosos ou o seu conteúdo com a comunidade. Hal publica o episódio semanal do podcast no grupo toda quarta-feira e compartilha todos os materiais valiosos que encontra. Você também pode delegar seu engajamento conforme necessário. Uma vez que Hal não consegue "curtir" e "comentar" todas as publicações, ele envolve sua equipe. Além disso, Hal nomeou "Embaixadores da Comunidade" em vários países para estimular o engajamento com os membros locais.

Perguntar à comunidade quais são os desafios e desejos dela

Você pode adivinhar e supor o que as pessoas querem e do que precisam, investir tempo valioso criando isso e depois esperar que o palpite esteja correto, mas lembre-se: a esperança raramente é uma boa estratégia.

É melhor enviar um e-mail aos membros de sua comunidade ou criar uma publicação em seu grupo com o link para uma pesquisa (usando um serviço gratuito como o SurveyMonkey ou Google Forms). Pergunte aos membros o que eles querem ou no que eles precisam de ajuda dentro da área de valor identificada por você. Faça perguntas abertas para obter mais possibilidades ou formule questões de múltipla escolha se você já pensou no que pode oferecer.

Se você quiser um guia mais amplo sobre o uso de pesquisas para avaliar os desejos do seu público e como atendê-lo melhor, recomendo fortemente o livro de Ryan Levesque, *Ask.*

Criar uma solução

Quando os membros de sua comunidade falarem do que precisam, é a oportunidade de ouro para trabalhar e criar o que pode ser um produto físico, digital (livro, áudio, vídeo, programa de treinamento por escrito ou software) ou um serviço (cuidar de cachorros, serviços de babá, coaching, consultoria, palestras ou treinamento).

Planejar o lançamento

Pense em como a Apple divulga seus produtos. A empresa não coloca simplesmente um produto nas lojas ou site: ela transforma o lançamento em um evento. A Apple cria expectativa com meses de antecedência, tanto que as pessoas se dispõem a acampar na frente das lojas por várias semanas para pegar os primeiros lugares na fila. Faça o mesmo. Para saber mais, leia o livro definitivo sobre o assunto, *Launch*, de Jeff Walker.

Encontrar um mentor

Dependendo do seu nível de experiência, este pode ser o *primeiro* passo. Como você já sabe, um dos métodos mais eficazes para minimizar a curva de aprendizado e aumentar a velocidade para conseguir o resultado desejado é encontrar alguém que já obteve esse resultado e seguir a estratégia dessa pessoa. Em vez de tentar descobrir tudo sozinho, encontre quem já conquistou o que você deseja, determine como essa pessoa fez isso, inspire-se nesse comportamento e o modifique de acordo com sua necessidade.

Embora seja possível buscar um relacionamento cara a cara ou virtual com um mentor, você também pode participar de eventos do tipo *mastermind* e contratar um coach. Até mesmo ler um livro como este significa usar a sabedoria de um mentor.

Considerações finais. Independentemente de seguir esses passos, criar uma nova empresa ou começar a comprar imóveis para investir, reserve um tempo para adicionar e desenvolver outra fonte de renda e em alguns meses você poderá aproveitar os benefícios, vantagens, segurança financeira, paz de espírito e liberdade que se consegue ao ter múltiplos fluxos de renda.

Daqui a dois anos você vai desejar ter começado hoje. Não deseje e não espere, comece já.

QUARTO PRINCÍPIO: SISTEMATIZAR O SEU MUNDO

Nos capítulos 7 a 10 vou me aprofundar nas estratégias e sistemas que considero os mais úteis para você como empreendedor. Como não quero fazer suposição alguma, prefiro começar pelo básico. Os líderes pessoais eficazes têm sistemas para quase tudo, desde atividades profissionais como agendamento, acompanhamento, fazer pedidos e mostrar apreço pelos clientes e integrantes da equipe até atividades pessoais como dormir, comer, administrar o dinheiro, gerenciar finanças, viajar e as responsabilidades familiares. Esses sistemas facilitam a vida, garantem que você esteja pronto para produzir e deixam suas tarefas mais fáceis de delegar para um assistente ou outro integrante da equipe.

Veja algumas práticas que você poderá aplicar imediatamente para sistematizar o seu mundo:

Agenda básica

Não há dúvida de que um dos aspectos mais atraentes do empreendedorismo é a *liberdade*. É um dos principais motivos pelos quais uma pessoa se torna empreendedora: a liberdade para fazer o que desejar, quando desejar e a possibilidade de ganhar uma renda extraordinária como resultado disso. Uma consequência dessa liberdade e das opções de trabalho disponíveis hoje em dia é que nem todos os empreendedores necessariamente sabem administrar tudo isso, fazendo o foco, a produtividade e a renda sofrerem dependendo do estilo de vida que você leva. Esses empreendedores passam os dias indo de uma tarefa para a outra e acabam se perguntando onde raios o tempo foi parar e se fizeram algum progresso significativo. Você se identifica com isso? Vou mostrar algo que vai transformar sua capacidade de produzir resultados consistentes e espetaculares. *É preciso criar uma agenda básica que dê estrutura e intenção aos seus dias e semanas.* A agenda básica é uma tabela predeterminada e recorrente composta por blocos de tempo dedicados às suas atividades de maior prioridade.

Eu sei, eu sei, você virou empreendedor justamente para se livrar de estruturas. Acredite, eu entendo; mas, quanto mais você aproveitar as vantagens de uma agenda básica composta por blocos de tempo para se concentrar nos projetos ou atividades que vão fazer avançar sua vida e seus negócios, mais liberdade você terá.

Isso não significa que a sua agenda seja inflexível. Na verdade, sugiro que você *agende* a flexibilidade, planejando vários blocos de tempo para a família, diversão e recreação. Você pode até ir mais longe e incluir um bloco de tempo chamado "Fazer o que me der na telha", dedicado exatamente a isso. Também é possível mover os blocos de acordo com a necessidade.

O importante é enfrentar os dias e semanas com alto nível de clareza e intenção para investir cada hora de cada dia, mesmo se essa hora for passada *fazendo o que lhe der na telha.* Pelo menos você terá planejado isso. Manter uma agenda básica é a forma de aumentar a produtividade para não terminar o dia se perguntando onde o seu tempo foi parar. Ele não vai a lugar algum sem que você tome uma decisão consciente, pois todos os minutos do seu dia serão intencionais.

Pedi a Hal que divulgasse sua agenda básica semanal para você ter um exemplo de como isso funciona. Embora possa desfrutar do luxo da liberdade empresarial e não precise seguir uma agenda predeterminada, Hal diz que ter essa agenda básica é um dos segredos para aproveitar ao máximo todos os dias. Se a sua vida tiver uma estrutura externa, como um emprego em horário regular, enquanto você monta sua empresa, será possível estruturar o tempo de folga e provavelmente uma parte do tempo de trabalho. Algo que você vai notar nesta agenda é que todas as horas são planejadas, independentemente de serem horários de folga ou de trabalho.

AGENDA BÁSICA DO HAL

Horário	Seg	Ter
4:00	SALVADORES DE VIDA	SALVADORES DE VIDA
5:00	Escrita	Escrita
6:00	E-mails	E-mails
7:00	Levar as crianças à escola	Levar as crianças à escola
8:00	Reunião com equipe	Prioridade 1
9:00	Prioridade 1	Wakeboard
↓	↓	↓
11:00	Almoço	Almoço
12:00	Basquete	Prioridades
13:00	Prioridades	Entrevista
14:00	Prioridades	Entrevista
15:00	Prioridades	Entrevista
16:00	Prioridades	Prioridades
17:00	FAMÍLIA	FAMÍLIA
↓	↓	↓
22:00	Dormir	Dormir

(Observação: Todas as horas são planejadas.)

Qua.	Qui.	Sex.	Sáb./Dom.
SALVADORES DE VIDA	SALVADORES DE VIDA	SALVADORES DE VIDA	SALVADORES DE VIDA
Escrita	Escrita	Escrita	Escrita
E-mails	E-mails	E-mails	↓
Levar as crianças à escola	Levar as crianças à escola	Levar as crianças à escola	Hora da FAMÍLIA
Prioridade 1	Prioridade 1	Prioridade 1	↓
↓	Wakeboard	↓	↓
↓	↓	↓	↓
Almoço	Almoço	Almoço	↓
Basquete	Prioridades	Basquete	↓
Ligações para clientes	Entrevista	Prioridades	↓
Ligações para clientes	Entrevista	Prioridades	↓
Ligações para clientes	Entrevista	Prioridades	↓
Prioridades	Prioridades	PLANEJAMENTO	↓
FAMÍLIA	FAMÍLIA	Noite de namoro	↓
↓	↓	↓	↓
Dormir	Dormir	:^) ???	Dormir

Tenha em mente que imprevistos (eventos, palestras, férias etc.) alteram a agenda básica do Hal, como acontece com quase todos os empreendedores, mas apenas temporariamente. Assim que ele volta para casa e o escritório, retoma a programação normal.

Um dos principais motivos para a eficácia dessa técnica é resolver a montanha-russa emocional causada pelas decisões relacionadas a suas atividades diárias. Quantas vezes um compromisso deu errado, afetando o seu estado emocional e sua capacidade de se concentrar pelo resto do dia? É muito provável que isso aconteça com mais frequência do que você gostaria de admitir. Contudo, se você seguiu a agenda básica que dizia "evento de networking, redigir anúncios ou fazer ligações" e se comprometeu com ela, teve uma tarde produtiva mesmo assim. Assuma o controle. Pare de deixar a produtividade nas mãos do acaso e não permita que influências externas afetem sua rotina. Crie uma agenda básica com tudo o que você precisa fazer, incluindo atividades recreativas, tempo para a família e diversão, e siga à risca, não importa o que aconteça.

Caso precise de apoio adicional para seguir o cronograma, mande uma cópia de sua agenda básica para um parceiro de responsabilização e peça que ele cobre você. O compromisso com esse sistema vai permitir que você tenha mais controle sobre a produtividade e os resultados.

Sistematizar viagens

Hal e eu somos palestrantes e regularmente passamos muito tempo em aviões e hotéis pelo país e pelo mundo para compartilhar o que aprendemos. Ambos descobrimos que juntar, reunir e colocar na mala os itens de que precisávamos para cada viagem levava tempo, era ineficiente e ineficaz, pois frequentemente esquecíamos algo em casa ou no escritório.

Nós dois organizamos uma bolsa com todos os objetos necessários para viagens, com itens que vão de roupas formais, meias, roupas íntimas e um traje de banho até adaptadores e carregadores para o celular e computador. Incluímos até mesmo lanches saudáveis e protetores de ouvido para o caso de o vizinho do quarto de hotel ser barulhento. Nós podemos viajar a qualquer momento, porque a bolsa já contém tudo de que precisamos para fazer negócios na estrada.

Se você não costuma viajar muito a negócios, também pode usar sistemas para facilitar o dia a dia. Você pode reservar um tempo na noite anterior e preparar o almoço, a bolsa de ginástica ou a que você leva para o trabalho antes de ir dormir. Também pode preparar um kit para usar fora do escritório, com panfletos, catálogos e outros objetos necessários para fazer negócios. Onde mais você poderia incorporar um sistema para algo que faz regularmente a fim de garantir que esteja sempre preparado sem precisar investir energia mental a cada repetição da atividade?

Sistematizar a responsabilização

As evidências da correlação entre sucesso e responsabilização são irrefutáveis. Praticamente todas as pessoas de muito sucesso adotam algum nível de responsabilização, de CEOs a atletas profissionais, passando pelo presidente dos EUA. Isso dá a eles a vantagem de que precisam para agir e criar resultados, mesmo quando não têm vontade. Sem essa vantagem, mais atletas faltariam aos treinos e os CEOs passariam os dias jogando no celular.

A responsabilização é o ato de ser responsável pela ação ou resultado de outra pessoa. Muito pouco acontece no mundo ou na sua vida sem algum tipo de responsabilização. Quase todos os resultados positivos que nós conquistamos do nascimento aos 18 anos aconteceram graças à responsabilização fornecida pelos adultos presentes em nossa vida (pais, professores, técnicos esportivos etc.). Nós comemos legumes e verduras, fizemos a lição de casa, escovamos os dentes, tomamos banho e fomos para a cama em horários razoáveis. Se não fosse pela responsabilização que nossos pais e professores nos deram, seríamos crianças incultas, malnutridas, maldormidas e sujas! É um ótimo jeito de repensar a questão, certo?

A responsabilização traz ordem para a vida e nos permite progredir, melhorar e conquistar resultados que não conseguiríamos de outra forma. O problema é que a responsabilização nunca foi pedida por nós, e sim algo que suportamos quando crianças, adolescentes e jovens adultos. Como adultos nos obrigaram a ela, a maioria de nós inconscientemente passou a resistir e a evitar a responsabilização. Na vida adulta, aproveitamos cada minuto de liberdade que podemos e fugimos da responsabilização como o diabo foge da cruz, perpetuando uma espiral de mediocridade e desenvolvendo mentalidades e hábitos prejudiciais, que estão longe de ser uma receita para o sucesso.

Agora que estamos todos crescidos e lutando para conquistar níveis ainda maiores de sucesso e realização, precisamos assumir a responsabilidade e iniciar nosso próprio sistema de responsabilização (ou voltar a morar com nossos pais). O seu sistema de responsabilização pode ser um coach profissional, um mentor, um amigo ou parente.

A responsabilização ajuda a gerar foco e não deixa você usar desculpas que poderia dar a si mesmo porque assumiu um compromisso com seus objetivos *e também* com outra pessoa. Eu crio responsabilização para mim mesmo como empreendedor divulgando os meus três principais objetivos do dia para outro empresário com um aplicativo gratuito chamado Committo3. Todas as manhãs, troco minha lista de três principais objetivos de negócios usando esse aplicativo com meu amigo Joe Polish, fundador da Genius Network. Informamos um ao outro o que desejamos realizar no fim daquele dia. Para os objetivos pessoais, faço o mesmo com outro amigo, Gordie Bufton. Saber que preciso prestar contas desses três objetivos no fim do dia (ou admitir para meus amigos que não os conquistei) me leva a cumpri-los.

Automatizar o apreço

Se você já me viu dando uma palestra ou leu meu blog, talvez conheça a história do “momento que abriu a minha mente e me deixou de boca aberta”. Caso não tenha visto, prepare-se para ficar de queixo caído ou pelo menos ouvir como isso aconteceu comigo.

Há seis anos fiz uma palestra no 20º aniversário da Entrepreneurs Organization (EO) em Las Vegas. É comum as pessoas me procurarem depois da palestra para me cumprimentar, fazer perguntas ou pedir meu contato. É perfeitamente normal e não costuma render mais do que alguns segundos de interação, mas daquela vez foi diferente.

Um jovem da EO que eu nunca tinha visto antes chamado John Ruhlin puxou conversa e perguntou se eu viajaria a Cleveland para participar do encontro de uma seção da EO na semana seguinte e, se fosse o caso, quais seriam os meus planos para a véspera do evento. Confirmei que iria à cidade dele e muito provavelmente aproveitaria a oportunidade para fazer compras na minha loja favorita, a Brooks Brothers.

Fizemos planos de jantar e ver um jogo de basquete do Cavs depois das compras. Um convite para jantar e um evento esportivo é um belo gesto no mundo dos negócios, mas não é nada demais ou extraordinário, certo?

No entanto, aquele dia foi o pesadelo do viajante. Com vários atrasos, precisei implorar para embarcar em um voo que já estava decolando. Mandei mensagem para John avisando que chegaria cinco horas mais tarde que o esperado e dizendo que entenderia se ele quisesse cancelar. John garantiu que não havia problema algum e que ele ficaria esperando no bar do meu hotel. Ele disse que eu deveria fazer o check-in, subir com as malas e descer pronto para uma ótima noite. Imaginei que, mesmo se não conseguisse ir às compras, ainda poderia apreciar uma boa refeição e um pouco do LeBron James. No fim das contas, era um bom jeito de passar uma noite em Cleveland. Isso era o que eu esperava...

Cheguei ao hotel e, quando fui para o quarto, meu queixo caiu. Espalhadas, dobradas e penduradas no quarto inteiro estavam dúzias de blazers, calças, camisas e suéteres. Não eram roupas sociais quaisquer, eram peças da Brooks Brothers. O quarto inteiro parecia uma loja da marca. E tudo era do meu tamanho.

Foi quando me dei conta. John, o cara da EO, perguntou casualmente qual era o meu tamanho de roupa em um e-mail enviado naquela semana, dizendo que gostaria de me mandar a camiseta da empresa dele.

Ele teve sucesso ao oferecer uma experiência de serviço incrível e impressionante, que ele chama de apreço estratégico, e nós ainda nem estávamos no jantar. Tirei o máximo de fotos que pude com o celular, mandei uma mensagem de texto para minha esposa e percebi que precisava ligar para

John DiJulius a fim de mudar o exemplo que tinha dado para o livro sobre atendimento ao cliente que ele estava escrevendo.

Quando entrei no bar, John me olhou com um sorriso e disse:

— Gostou da sua loja da Brooks Brothers?

Durante o jantar e o jogo, John me explicou que usa presentes sofisticadíssimos para conseguir reuniões com CEOs e manter um relacionamento incrível com seus melhores clientes. Ele até escreveu um livro sobre isso, *Giftology: The Art and Science of Using Gifts to Cut Through the Noise, Increase Referrals and Strengthen Retention* [Presentologia: A arte e a ciência de dar presentes para reduzir o ruído, aumentar as referências e fortalecer a retenção].

Uma das empresas do John, a Ruhlin Group, é especializada em automatizar o apreço e enviar presentes personalizados de alta qualidade para clientes, possíveis clientes e funcionários em seu nome. Ou, se você quiser entrar em contato com um CEO, a empresa dele pode enviar cinco pacotes consecutivos de facas Cutco para uma pessoa pedindo para *cortar um espacinho* na agenda dele ou dela e marcar uma reunião. Hal e eu usamos a empresa de John para automatizar todos os nossos presentes.

Depois da experiência da Brooks Brothers e dos presentes incríveis da Ruhlin Group, eu aceito me reunir como Ruhlin a qualquer momento, em qualquer lugar, e recomendo os serviços dele para todos, pois desejo que cada vez mais pessoas tenham a experiência de receber o tratamento VIP do Ruhlin Group.

Roupas opcionais

Este tópico não tem a ver com ficar sem roupa, e sim com o que você veste. Recomendo seguir as dicas de moda corporativa de Steve Jobs e Mark Zuckerberg. Ambos são famosos por repetir sempre as mesmas peças para simplificar e dar a eles uma decisão relativamente insignificante a menos por dia. Zuckerberg costuma aparecer no trabalho usando uma camiseta cinza ou um moletom de capuz com calça jeans, enquanto o falecido CEO da Apple era conhecido pela blusa de gola alta preta com jeans, que eram sua marca registrada. Ele até tentou fazer a empresa inteira usar o mesmo uniforme em algum momento, de acordo com a biografia escrita por Walter Isaacson.

O CEO da Book in A Box, Tucker Max, usa sempre as mesmas bermudas Lululemon e camiseta todos os dias, não importa onde esteja. Eu já o vi subir ao palco para fazer palestras em vários eventos para empreendedores de alto nível e o traje nunca mudava.

Da mesma forma, Hal tem 23 camisetas pretas de gola V, que geralmente combina com calças Lululemon.

Mas e daí? Obviamente esses empreendedores podem ter uma vasta gama de roupas, mas perceberam que todos nós temos um poder cerebral limitado, e as pesquisas mais recentes mostram que ele diminui ao longo do dia, a cada decisão tomada. (Você se lembra do que falei sobre a depleção do ego?) Quanto mais sistematizado for o seu mundo, menos decisões você precisará tomar, sobrando mais poder cerebral para as decisões realmente importantes.

Compartilhei cinco ótimas ideias para sistematizar a sua vida, mas o que fazer depois disso? Você sabe que precisa de um sistema quando tem um desafio recorrente ou descobre que está perdendo oportunidades porque não está preparado. Ou seja, sempre que estiver pisando na bola ou estressado o tempo todo, você precisa de um sistema. Quanto mais você aproveitar os sistemas, menos precisará pensar e mais vai conseguir fazer. Vamos aprofundar as formas de sistematizar o mundo nos próximos capítulos, incluindo como alavancar a si mesmo contratando um diretor de operações.

QUINTO PRINCÍPIO: COMPROMETER-SE COM O PROCESSO QUE GERA RESULTADOS

Se existe um segredo nada óbvio para o sucesso nos negócios ele é: elucide, calcule e comprometa-se com o processo que gera resultados, *sem se apegar emocionalmente aos seus resultados.*

Todo resultado que você deseje, seja melhorar a aparência ou expandir a empresa, exige um processo responsável por gerá-lo.

Quando você elucida, calcula e se compromete com o processo que gera resultados por um longo período, os resultados acontecem naturalmente. Não é preciso se estressar ou se preocupar com o dia, a semana, o mês ou até o ano, desde que você se comprometa com o processo a longo prazo. A lei das médias sempre prevalece.

Contudo, como seres humanos, é natural ter apego emocional aos resultados. Como empreendedores, podemos deixar uma ligação ruim, um produto com desempenho abaixo do esperado, um cliente cancelando nossos serviços ou qualquer outro resultado menos que ótimo nos desencorajar. Permitimos que resultados ruins nos abalem. Quando os números estão baixos, ficamos para baixo. Ao entrar na montanha-russa emocional do empreendedorismo, o apego emocional aos resultados afeta negativamente o compromisso com o processo, mas precisa ser assim? Definitivamente não.

Hal teve a seguinte percepção aos 21 anos de idade, à qual credita boa parte do sucesso que conquistou durante a carreira de vendedor recordista e batedor de metas. Esse também é o princípio básico que permitiu liderar a equipe de vendedores para quebrar o recorde anual de vendas da Cutco, tornando-se a primeira equipe nos 55 anos de empresa a produzir mais de 2 milhões de dólares (aproximadamente 8 milhões de reais) em um ano. "Minha revelação ocorreu quando, como representante de vendas, eu percebi que poderia prever e controlar meus resultados de vendas elucidando, calculando e me comprometendo com o processo responsável por gerar esses resultados."

"Primeiro, expliquei que o meu processo que gera resultados era fazer ligações para clientes em potencial. Simples. Depois, calculei quantas ligações eu precisava fazer para possíveis clientes com base em minhas médias para conquistar meus objetivos de vendas. Em seguida percebi que bastava assumir o compromisso inabalável de fazer aquele número predeterminado de ligações todo dia e a lei das médias garantiria que eu alcançasse meu objetivo de vendas a cada mês, trimestre e ano. Por fim, tomei a decisão consciente de abrir mão do apego emocional aos resultados diários porque estava concentrado no quadro geral."

Um dia ruim no telefone ou nas visitas aos clientes... Quem se importa? Um pedido cancelado, um cliente insatisfeito ou até perder um funcionário fundamental não importa a longo prazo. Por que se estressar com um dia, um semana ou até um mês quando você está nessa a longo prazo? Você está nessa a longo prazo, certo? Claro que está!

Contudo, não se esqueça da parte crucial dessa estratégia: "Percebi que qualquer aumento feito no meu processo geraria um aumento quase idêntico nos meus resultados. Por exemplo, se eu dobrasse a quantidade de ligações feitas por dia, minhas vendas dobravam de modo automático. Parecia simples demais, mas funcionava perfeitamente. Concentrar-se em dobrar os seus melhores resultados pode ser assustador, mas aumentar o tempo para ligações diárias de uma para duas horas é fácil. Usei esse método para gerenciar as ligações diárias da minha equipe de vendas (que eles eram responsáveis por anotar e relatar à gerência) e nós dobramos as vendas da empresa inteira."

Os empreendedores que preveem e produzem resultados excepcionais de modo consistente conhecem seus números e agem de modo consistente para aumentá-los, mesmo quando não têm vontade. Nos próximos capítulos vou fornecer mais ideias e dicas para você saber onde concentrar os esforços. Por enquanto, sugiro reservar um tempo para *elucidar, calcular e se comprometer com o seu processo que gera resultados* e tomar a decisão consciente de fazer isso *sem se apegar emocionalmente aos resultados.*

COLOCANDO A LIDERANÇA PESSOAL EM AÇÃO

1. **Assumir 100% da responsabilidade.** Lembre-se: assim que aceitar a responsabilidade por *tudo* na vida, você conquista o poder de mudar *tudo* na vida. O seu sucesso cabe inteiramente a você.
2. **Priorizar a boa forma física e praticar exercícios prazerosos.** Se a boa forma física diária ainda não for uma prioridade na sua vida, mude isso agora. Além dos exercícios matinais, reserve um tempo

para uma atividade física mais longa, entre trinta e sessenta minutos, de três a cinco vezes por semana. Quanto aos alimentos que darão uma dose extra de energia, vamos falar disso no próximo capítulo.

3. **Buscar a independência financeira.** Comece a desenvolver a mentalidade e os hábitos que inevitavelmente vão levá-lo à independência financeira, incluindo economizar o mínimo de 10% da renda, educar-se continuamente sobre dinheiro e diversificar as fontes de renda.
4. **Sistematizar o seu mundo.** Comece criando uma agenda básica e depois identifique as áreas de sua vida ou empresa que podem se beneficiar do uso de sistemas e agendas com horários reservados para que o seu processo de produção de resultados esteja predeterminado todos os dias e o sucesso esteja garantido. E o mais importante: adote um sistema de responsabilização, seja por meio de um colega, de um coach ou estimulando sua equipe ao se comprometer com ela e liderar pelo exemplo.
5. **Comprometer-se com o processo que gera resultados.** Lembre-se do segredo nada óbvio de Hal para o sucesso: *elucidar, calcular e se comprometer com o processo sem se apegar emocionalmente aos resultados.* Faça com que o sucesso seja inevitável ao manter o compromisso com o processo todos os dias e abrir mão do apego emocional aos resultados de curto prazo, pois é o compromisso com o processo diário (seu e de sua equipe) que vai determinar a receita no fim do mês, trimestre e ano.

A esta altura, espero que você tenha entendido que esses cinco princípios básicos são fundamentais para seu sucesso como empreendedor. Lembre-se: levar sua empresa a outro patamar começa levando você a outro patamar. E a ordem é exatamente essa.

No próximo capítulo, vamos nos concentrar na engenharia que é preciso aplicar na vida a fim de criar níveis ótimos de energia física, mental e emocional constante para que você consiga manter níveis extraordinários de clareza, foco e ação todos os dias.

PERFIL DO EMPREENDEDOR

Ari Meisel

A empresa de Ari Meisel é a Less Doing.

PRINCIPAIS CONQUISTAS NOS NEGÓCIOS

- Ari é autor de dois livros de sucesso que figuravam em listas de mais vendidos.
- Ele lançou uma empresa em 48 horas que era escalável e lucrativa desde o primeiro dia e cresceu 20% a cada mês.
- Ari criou um sistema inteiramente novo de produtividade chamado Less Doing.
- Ele foi considerado especialista em produtividade de nível mundial por nomes como Tony Robbins, Joe Polish, Daymond John e Jordan Belfort.
- Ari criou uma empresa que dá apoio à vida dele com a esposa e os quatro filhos em vez do contrário.

ROTINA MATINAL

- Ari acorda às 5h15.
- Ele verifica o Slack, o Trello, o Gmail e o Facebook. Muita gente recomenda evitar essas tarefas ao acordar, mas Ari descobriu que isso

leva de cinco a oito minutos e o libera para iniciar diversas tarefas, ganhando disposição para o dia. (Ele só volta a olhar para o celular depois que as crianças foram para a escola.)

- Ari faz uma vitamina, depois prepara o café da manhã para as crianças e as leva à escola.
- Para terminar, ele faz dez minutos de exercícios de alto impacto e eficiência, passa três horas e meia com a família e *só então* começa o dia de trabalho.

Capítulo 5

SEGUNDA HABILIDADE PARA ELEVAR O EMPREENDEDOR:

Engenharia de energia

O mundo pertence aos vigorosos.

— Ralph Waldo Emerson

Ficar milionário geralmente significa fazer tudo com a própria gasolina. Você mata um leão por dia, como dizem. O problema é que nem tudo cabe a você. Em alguns dias (e eu sei que não fui o único a viver isso) você acorda e simplesmente não tem a motivação ou disposição necessária para caçar. Manter o foco nesses dias, em meio à incerteza e à sobrecarga, não é fácil. Os dias bons exigem disposição, entusiasmo e persistência. Os dias difíceis exigem tudo isso e muito mais.

Um empreendedor sem disposição sofre muito. É difícil manter a motivação, e o foco muitas vezes é gerado artificialmente por estimulantes, como a droga favorita do empreendedor: a cafeína. *O empreendedorismo exige abundância de energia.* Não há outro jeito. Você pode ter o melhor produto, a equipe mais incrível e o marketing mais eficaz, mas, se não tiver *energia* para se envolver e gerenciar tudo isso, vai desabar. Para aumentar o sucesso nos negócios é preciso ter energia. Quanto mais *consistente* e maior, melhor.

- A energia é o combustível que permite manter a clareza, o foco e agir para gerar resultados incríveis dia após dia.
- A energia é contagiosa e se espalha de você para o mundo como um vírus do bem, criando sintomas de entusiasmo e respostas positivas em toda parte.
- A energia é a vacina contra a rejeição e a decepção. Com a quantidade certa, você está praticamente inoculado para sempre contra a negatividade.

A pergunta, então, é: *como fazer a engenharia da sua vida de modo estratégico para manter o alto nível de energia sustentável e sempre disponível quando você precisar?*

Quando estou com a disposição em baixa, posso compensar com cafeína e outros estimulantes, mas eles costumam funcionar por algum tempo até o corpo não aguentar mais. Você já deve ter notado isso. A energia parece desaparecer justamente quando você mais precisa dela. Consigo até ouvir um desses apresentadores de infomerciais dizendo: *Mas, Cameron, tem que existir um jeito melhor de lidar com isso*!

E existe mesmo.

Se você estiver vivendo à base de café e determinação, nem começou a chegar perto do auge que pode conquistar quando fizer a engenharia da sua vida para obter o máximo de energia.

CICLOS DE ENERGIA NATURAL

O primeiro ponto é entender que o objetivo não tem a ver com correr em velocidade máxima o tempo todo. Não é prático manter esse ritmo. Como seres humanos, temos altos e baixos naturais na motivação, e o mesmo acontece no empreendedorismo. O truque consiste em combinar ou pelo menos tentar sincronizar esses ciclos com o ritmo do dia de trabalho. Saiba que você vai precisar de mais energia em horários particularmente intensos ao longo da semana, mês e ano e dê a si mesmo um tempo para se recuperar, descansar e recarregar as baterias quando a intensidade diminuir.

Do mesmo jeito que as plantas domésticas precisam de água, os seres humanos precisam reabastecer. Você pode funcionar a todo vapor por longos períodos de tempo, mas a mente, o corpo e o ânimo vão precisar de recarga. Pense na vida como um recipiente que guarda sua energia. Quando você não administra bem esse recipiente, é como se ele tivesse um buraco no fundo. Não importa o quanto você despeje, a energia nunca chegará ao máximo.

Se você se resignou com o fato de estar cansado, ranzinza, atrasado com as tarefas, fora de forma e infeliz, eu tenho uma ótima notícia.

Estar continuamente exausto é inaceitável. Você *não precisa se contentar com isso*. Existem algumas formas simples de conseguir o que você precisa e deseja: mais descanso, tempo para se recuperar e recarregar, paz interior e felicidade. É pedir muito? Sim. É impossível? De jeito nenhum!

É uma questão de fazer a engenharia da sua vida de modo estratégico para obter um nível ótimo e sustentável de energia física, mental e emocional. Estes são os três princípios que sigo para manter o nível máximo de energia à disposição sempre que precisar.

COMER E BEBER PARA OBTER ENERGIA

Quando se trata da engenharia de energia, o que você come e bebe pode ser crucial. Se você for como a maioria das pessoas, baseia as escolhas alimentares primeiro no sabor e depois nas consequências (se é que você pensa nelas), mas o que agrada as papilas gustativas nem sempre dá a energia necessária para funcionar o dia inteiro.

Não há nada errado em comer alimentos saborosos, mas, se você quiser ser realmente saudável e ter a energia de um campeão, é preciso tomar a decisão consciente de **colocar mais valor nas consequências para a saúde e energia dos alimentos que você come do que no sabor**. Por quê? Porque a digestão é um dos processos que mais consomem energia do corpo. Precisa de provas? Pense no cansaço após uma grande refeição, como a ceia de Natal.

Não é por acaso que depois de comer muito você sente moleza e tem vontade de tirar uma soneca. Não é à toa que chamam isso de "coma alimentar".

Digerir pão, carnes cozidas, laticínios e alimentos processados exige mais energia do que eles oferecem ao corpo. Em vez de aumentar a energia, esses alimentos basicamente "mortos" tendem a drená-la para usar na digestão e deixam você com déficit nessa área. Por outro lado, alimentos "vivos" como frutas, vegetais, castanhas e sementes dão mais energia do que exigem para serem digeridos, fornecendo ao corpo e mente um excedente de energia e permitindo que você funcione em seu melhor.

Explicando de modo bem simples, tudo o que você coloca no corpo é bom ou prejudicial para a saúde e a energia. Beber água é positivo. Uma dose dupla de tequila não é. Ter uma dieta rica em frutas e vegetais frescos é mais positivo ainda. Ir de carro à lanchonete para devorar fast-food? Nem um pouco. Isso não é difícil de entender, mas pode ser a área mais importante de sua vida a ser otimizada. É preciso parar de se enganar.

Se você ainda não estiver fazendo isso, é hora de agir de maneira intencional e estratégica em relação ao que come, quando come e, mais importante, *por que* come para fazer a engenharia da sua vida em busca da energia máxima.

Comer de modo estratégico

A esta altura, você deve estar se perguntando: *Mas quando, afinal, eu como durante o Milagre da Manhã*? Vou falar disso agora. Também vou abordar *o que* é preciso comer para obter o alto desempenho crucial e *por que* escolher os alimentos, talvez o mais importante de tudo.

Quando comer: mais uma vez, lembre-se de que a digestão gasta muita energia diariamente. Quanto maior a refeição e mais alimentos você der para o corpo digerir, maior será o esgotamento. Tendo isso em mente, recomendo fazer a primeira refeição *depois* do *Milagre da Manhã*. Se você quiser conseguir o nível máximo de alerta e foco durante os Salvadores de Vida, o sangue precisa fluir para o cérebro em vez do estômago a fim de digerir a comida.

Contudo, recomendo começar o dia ingerindo uma pequena quantidade de gordura saudável para dar combustível ao cérebro. Estudos mostram que manter a mente afiada e o humor equilibrado está amplamente relacionado ao tipo de gordura que você come. "O cérebro tem pelo menos 60% de gordura, além de ser composto de gorduras que precisam ser obtidas pela alimentação, como o ômega 3", diz Amy Jamieson-Petonic, nutricionista, diretora de *coaching* voltado para o bem-estar na Cleveland Clinic e porta-voz nacional da Associação Dietética Norte-Americana.

Após beber o primeiro copo de água, Hal começa todas as manhãs com gorduras saudáveis, que geralmente incluem uma colher de sopa de óleo de coco orgânico (especificamente o *Nutiva Organic Coconut Manna*, que pode ser comprado na Amazon.com), ou mistura uma grande caneca de café orgânico com Bulletproof Cacao Butter (disponível em Bulletproof.com). A colher de sopa de manteiga de cacau é tão pequena que facilita a digestão e contém gorduras saudáveis para dar combustível ao cérebro. Os benefícios do cacau para a saúde são significativos: além de fonte de energia rica em antioxidantes (o cacau está entre os vinte melhores alimentos em termos de absorção dos radicais oxigenados, conhecido como índice ORAC, usado para avaliar a capacidade antioxidante dos alimentos), diminui a pressão sanguínea.

Talvez o mais empolgante seja saber que comer cacau deixa você feliz! Ele contém feniletilamina (conhecido como "a droga do amor"), responsável pelo humor e prazer que fornece os mesmos sentimentos de quando você está apaixonado, e também age como estimulante, deixando você mais alerta. Em outras palavras, o cacau é um grande vencedor no departamento nutricional.

Se você precisa fazer uma refeição assim que acorda, certifique-se de que seja algo pequeno, leve e fácil de digerir, como frutas frescas ou uma vitamina (falarei mais sobre isso em breve).

Por que comer: vamos reservar um momento para mergulhar mais fundo no *por que* devemos escolher os alimentos que consumimos. Ao fazer compras no supermercado ou ver o cardápio de um restaurante, quais critérios você usa para determinar os alimentos que vai colocar no corpo? As escolhas se baseiam puramente no sabor? Textura? Conveniência? Elas são feitas pensando na saúde? Energia? Restrições alimentares?

A maioria das pessoas escolhe os alimentos com base principalmente no *sabor* e, em nível mais profundo, no apego emocional às comidas de que gostam. Se você perguntar a uma pessoa por que ela tomou sorvete, comeu frango frito ou tomou refrigerante, provavelmente vai ouvir que ela adora sorvete, estava com vontade de comer frango frito ou gosta de refrigerante. Todas essas respostas se baseiam no prazer emocional gerado pelo sabor desses alimentos. Nesse caso, a pessoa provavelmente não consegue explicar suas escolhas alimentares dizendo o valor desses alimentos para a saúde ou a energia sustentada que vai receber ao ingeri-los.

A questão é: se quisermos ter mais energia (todos nós queremos), e se desejamos uma vida saudável e livre de doenças (e quem não quer?), é crucial analisar por que escolhemos os alimentos que consumimos. Eu sei que já disse isso, mas vale repetir: de agora em diante, *comece a dar muito mais valor às consequências para a saúde e à energia dos alimentos do que ao sabor*. Afinal, um alimento gostoso oferece poucos minutos de prazer, mas as consequências em termos de saúde e vigor afetam o resto do dia e, no fim das contas, o resto da vida.

Não estou dizendo que é preciso comer algo que *não* seja gostoso em troca de saúde e energia, e sim que é possível ter os dois. Se você quiser viver uma abundância diária de energia para ter o melhor desempenho e uma vida longa e saudável, é preciso escolher alimentos bons para a saúde e que lhe deem energia prolongada, além de serem saborosos.

O que comer: antes de falar sobre o que comer, vamos reservar um segundo para falar sobre o que *beber*. Lembre-se de que a quarta etapa da Estratégia de cinco passos à prova de soneca para acordar é beber um copo de água assim que acordar para se reidratar e recarregar as baterias após uma noite de sono.

Em seguida, eu faço como Hal e geralmente tomo uma xícara de Bulletproof Coffee antes de começar o *Milagre da Manhã*. Configuro meu alarme 15 minutos mais cedo para ter tempo de fazer o café sem atrapalhar o tempo reservado para os Salvadores de Vida.

Quanto ao que comer, foi provado que uma dieta rica em *alimentos vivos* como frutas e vegetais frescos aumenta muito a disposição, melhora o foco mental e bem-estar emocional, mantem a saúde e protege você de doenças. Hal criou o "Smoothie de superalimentos", com tudo o que o seu corpo precisa em um copo grande e gelado! Estou falando de proteínas completas (*todos* os aminoácidos essenciais), antioxidantes para derrotar a idade, ácidos graxos essenciais do ômega 3 (para aumentar a imunidade, a saúde cardiovascular e o poder cerebral), além de uma vasta gama de vitaminas e sais minerais, só para começar. E ainda nem falei de todos os *superalimentos*, como os fitonutrientes do cacau (o fruto tropical a partir do qual se faz o chocolate), que são estimulantes e melhoram o humor, a energia duradoura fornecida pela maca (adaptógeno andino famoso pelos efeitos de equilíbrio hormonal) e os nutrientes das sementes de chia, que aumentam a imunidade e diminuem o apetite.

O smoothie de superalimentos de *O Milagre da Manhã* não só fornece energia prolongada como é uma delícia. Você pode até achar que ele aumenta a capacidade de criar milagres em sua vida. Baixe e imprima a receita de graça em **https://www.miraclemorning.com/Brazil.**

Você se lembra do velho ditado "você é o que come"? Os alimentos fornecem a base e o combustível de que seu corpo precisa para fazer tudo de incrível que ele faz. Cuide bem do seu corpo para que ele cuide bem de você. Você vai sentir imediatamente o aumento na disposição e na clareza da mente!

Vamos falar sobre combustível. Mudei minha visão sobre os alimentos, que deixaram de ser uma recompensa, guloseima ou conforto para virar combustível. Quero consumir alimentos deliciosos e saudáveis que aumentem a energia e me permitam seguir em frente pelo tempo que precisar.

Não me entenda mal. Ainda gosto de certos alimentos que não são os mais saudáveis, mas eu os reservo estrategicamente para momentos em que não preciso manter o nível máximo de energia, como à noite e nos fins de semana.

O jeito mais fácil de tomar decisões melhores sobre a dieta foi prestar atenção a como me sentia após consumir determinados alimentos. Passei a configurar um timer para sessenta minutos após o fim de cada refeição. Quando o timer apitava, eu avaliava o meu nível de disposição. Não levou muito tempo para reconhecer quais alimentos me davam o maior ganho de energia e quais faziam o oposto. Posso dizer exatamente a diferença no nível de energia nos dias em que tomo uma vitamina ou como uma salada e nos dias em que cedo aos desejos e devoro um sanduíche de frango ou um pouco daquela pizza deliciosa. As primeiras opções me dão uma dose extra de ânimo, enquanto a última me deixa com déficit de energia.

Como seria dar ao corpo o que ele precisa para trabalhar e se divertir pelo tempo que você quisesse? Como seria dar a si mesmo exatamente o que você merece? Presenteie-se com uma ótima saúde, escolhida de modo consciente por meio do que você come e bebe.

Se você come ao longo do dia quase sem pensar e talvez corra até o drive--thru mais próximo quando está morrendo de fome, é hora de criar uma nova estratégia.

Pense um pouco nas seguintes perguntas:

- Posso analisar as consequências (tanto em termos de saúde quanto de energia) do que como de modo consciente e valorizá-las mais do que o sabor dos alimentos?
- Posso levar uma garrafa de água para me hidratar com intenção e propósito, evitando a desidratação?
- Posso planejar as refeições com antecedência, incluindo lanches saudáveis para combater os padrões atuais que não me servem mais?

Sim, você pode fazer tudo isso e muito mais. Pense em como a vida será muito melhor e quanta energia a mais você terá para sua empresa quando for intencional e consciente em relação aos hábitos alimentares.

- Você manterá um estado mental e emocional positivo com facilidade. A falta de energia nos deixa para baixo, enquanto o aumento dela gera mentalidade, perspectiva e atitude positivas.
- Você terá mais disciplina. A falta de energia esgota a força de vontade, aumentando a probabilidade de escolher o que é *fácil* em vez do que é *certo*. O aumento na energia eleva o nível de disciplina.
- Você será um exemplo para as pessoas que lidera e para quem ama. O nosso jeito de viver dá permissão às pessoas ao redor para fazer o mesmo.
- Você vai ficar mais saudável, viver mais e se sentir muito melhor.
- Bônus: você vai manter o peso natural sem esforço.

- E o melhor bônus de todos: você vai expandir mais a empresa, vender mais, recrutar mais e melhores funcionários e ganhar mais dinheiro porque terá uma aparência ótima e se sentirá melhor ainda.

Não deixe de se hidratar ao longo do dia. A falta de água pode levar à desidratação, que ocorre quando não existe água suficiente no corpo para realizar suas funções normais. Até uma desidratação leve pode esgotar a vitalidade, deixando você cansado.

Ao colocar em prática a Estratégia de cinco passos à prova de soneca para acordar, você toma o primeiro copo de água no início do dia. Além disso, recomendo levar uma garrafa grande com você e criar o hábito de beber meio litro de água a cada período entre uma e duas horas. Se lembrar disso for um desafio, configure um timer recorrente ou acrescente vários alarmes em seu telefone. Toda vez que ouvir o alarme, beba o que sobrou da garrafa e encha novamente para a próxima rodada de hidratação. Ter uma garrafa cheia à mão vai permitir que você beba água conforme necessário.

Quando se trata de frequência da alimentação, é importante reabastecer a cada três a quatro horas, com alimentos vivos, pequenos e de fácil digestão. Minhas refeições regulares são compostas por algum tipo de proteína e vegetais. Para manter o nível de glicose adequado no sangue, eu prefiro alimentos vivos, incluindo frutas, castanhas cruas e um dos meus lanches favoritos para viagens: chips de couve crespa. Tento planejar as melhores refeições para os dias em que preciso ser mais produtivo.

Acredito que comer para obter energia, desde a primeira refeição do dia até o fim do expediente, aliado aos exercícios físicos, me dá a liberdade de comer o que quiser à noite e nos fins de semana. Acredito que posso comer o que quiser, só não tanto quanto eu gostaria. Aprendi a provar de tudo, mas comer apenas o suficiente para ficar satisfeito.

No fim das contas, é preciso lembrar que comida é combustível. Devemos usá-la para ir do início ao fim do dia, sentindo-se bem e com muita energia. Valorizar mais as consequências dos alimentos para a energia do que o sabor e consumir alimentos que dão energia são os primeiros passos da engenharia de energia.

DORMIR E ACORDAR PARA VENCER

Dormir mais para conquistar mais. Esse pode ser o mantra de negócios menos intuitivo que você já ouviu na vida, mas é verdade. O corpo precisa de sono toda noite para funcionar bem e se recuperar após um dia difícil. O sono também desempenha um papel crucial para o sistema imunológico, o metabolismo, a memória, o aprendizado e outras funções corporais vitais. É o período em que o corpo faz a maior parte dos processos de reparo, cura, repouso e crescimento.

Se você não dormir o suficiente, vai se desgastar aos poucos e limitar sua capacidade de crescer em qualquer área da vida.

Dormir X dormir o *suficiente*

E quanto é o suficiente? Existe uma grande diferença entre a quantidade de sono com a qual você sobrevive e a quantidade necessária para funcionar com mais eficiência. Pesquisadores da Universidade da Califórnia, em São Francisco, descobriram que algumas pessoas têm um gene que lhes permite funcionar bem com seis horas de sono por dia. Esse gene, contudo, é muito raro, aparecendo em menos de 3% da população. Para os 97% restantes, seis horas não chega nem perto de dar conta. Só porque você consegue funcionar com cinco a seis horas de sono não significa que não se sentiria melhor e renderia mais se passasse uma ou duas horinhas a mais na cama.

Isso não parece intuitivo. Quase posso ouvir você pensando: *Passar mais tempo na cama e render mais? Como isso funciona?* Porém, isso está bem documentado: dormir o suficiente permite que o corpo tenha um nível mais alto de desempenho. Não só você vai trabalhar melhor e mais rápido como sua atitude também vai melhorar.

A quantidade de repouso noturno de que cada indivíduo precisa é diferente, mas pesquisas mostram que o adulto precisa em média de sete a oito horas de sono a fim de restaurar a energia necessária para lidar com as demandas diárias.

Como tantos de nós, fui condicionado a pensar que preciso de oito a dez horas de sono por noite. Na verdade, às vezes eu preciso de menos que isso e às vezes preciso de mais. A melhor forma de descobrir se as suas necessidades de sono estão sendo atendidas é avaliar como você se sente ao longo do dia. Se estiver dormindo um número suficiente de horas vai se sentir disposto e alerta o dia inteiro, desde o momento em que acorda até a hora de dormir. Se não for o caso, você vai procurar açúcar ou cafeína no meio da manhã, no meio da tarde ou ambos.

Se você for igual à maioria das pessoas, terá dificuldade de se concentrar, pensar com clareza e se lembrar de fatos quando não descansar o suficiente. É possível notar a ineficácia em casa ou no trabalho e até colocar a culpa desses equívocos na agenda atribulada. Quanto mais horas de sono você perde, mais pronunciados ficam os sintomas.

Além disso, a falta de repouso e relaxamento pode afetar o humor. O empreendedorismo não é lugar para irritação! É um fato científico: perder uma boa noite de sono afeta a personalidade, deixando o indivíduo mais ranzinza, menos paciente e mais propenso a descontar a raiva em alguém. Perder o repouso essencial faz com que você seja um fardo, o que não é divertido para ninguém, incluindo você mesmo.

A maioria dos adultos diminui as horas de sono para dar conta de mais atividades no dia. Na corrida contra o relógio a fim de cumprir prazos, você pode cair na tentação de economizar no sono para fazer mais. Infelizmente, a privação de sono pode levar o corpo ao desgaste, permitindo que doenças e vírus encontrem a brecha de que precisam para atacar. A falta de sono pode comprometer o sistema imunológico, que fica suscetível a tudo. No fim das contas, a ausência de repouso pode causar doenças que levam a perder dias ou até semanas de trabalho. Não é assim que sua empresa vai crescer.

Por outro lado, quando você dorme o suficiente, o corpo funciona como deveria, você é agradável com as pessoas ao redor e o sistema imunológico fica mais forte. Consequentemente, você vai vender mais e atrair mais pessoas para sua empresa. Pense no sono como o período em que você liga um ímã interno. Quando você acordar descansado e de ótimo humor graças aos

Salvadores de Vida, vai atrair mais negócios, porque um empreendedor feliz também é um empreendedor rico.

Os verdadeiros benefícios do sono

Você pode não perceber como o sono é poderoso. Enquanto você está sonhando, feliz da vida, o sono está fazendo um trabalho árduo e fornecendo uma série de benefícios incríveis.

O sono melhora a memória. A mente fica surpreendentemente ocupada enquanto você dorme. O sono permite limpar as toxinas nocivas que são subprodutos da função cerebral durante o dia, fortalecer memórias e praticar habilidades aprendidas enquanto você estava acordado por meio de um processo chamado consolidação.

"Se você estiver tentando aprender algo, seja físico ou mental, só é possível aprender com a prática até certo ponto", diz o especialista em sono e professor associado da NYU Dr. David Rapoport, "mas algo acontece durante o sono que faz você aprender melhor".

Em outras palavras, se você quiser aprender algo novo, seja espanhol, um swing no tênis ou as especificações de um novo produto da sua empresa, terá resultados melhores quando dormir o suficiente.

O sono ajuda a viver mais. Dormir mais ou menos do que deveria está associado a uma expectativa de vida menor, embora não esteja claro se isso é uma causa ou consequência. Em um estudo feito em 2010 com mulheres entre 50 e 75 anos, ocorreram mais mortes nas que dormiam menos de cinco ou mais de seis horas e meia por noite. Obter a quantidade certa de sono é bom para a saúde a longo prazo.

O sono aumenta a criatividade. Embora o sono melhore e memória e o aprendizado, o sono REM especificamente parece aperfeiçoar a capacidade de resolver problemas de modo criativo. Pesquisadores de Harvard estudaram pessoas antes e depois de cochilos. Para o grupo de controle, eles fizeram outros participantes passarem pela mesma bateria de perguntas sem tirar uma soneca. Alguns dos participantes que dormiram receberam permissão para entrar no sono REM, enquanto outros tiveram esse prazer negado. Os que tiraram cochilos mais profundos melhoraram o desempenho na resolução de problemas em aproximadamente 40% quando comparados aos colegas que dormiram por menos tempo e aos que não dormiram.

O sono ajuda a obter e manter um peso saudável com mais facilidade. Se você estiver acima do peso, não terá o mesmo nível de energia que as pessoas de peso saudável. Se você estiver mudando o estilo de vida para incluir mais exercícios e alterações na dieta com *O Milagre da Manhã* e a engenharia de energia, é melhor dormir ainda mais cedo. Exigir mais do corpo em termos físicos significa que será necessário contrabalançar essas demandas com repouso suficiente.

De acordo com pesquisadores da Universidade de Chicago, quem faz dieta e está bem descansado perde até 56% mais gordura do que as pessoas com poucas horas de sono, que perderam mais massa muscular. Nesse mesmo estudo, quem fez dieta sentiu mais fome quando dormiu menos. A principal conexão entre sono e metabolismo é que os mesmos setores do cérebro controlam as duas funções. Além disso, hormônios que aumentam o apetite são liberados quando você não dorme o suficiente.

Dormir deixa você menos estressado. Isso provavelmente não é novidade para você: uma boa noite de sono reduz o estresse. Dormir pouco e se estressar afetam a saúde cardiovascular, prejudicando a saúde a longo prazo e o suprimento de energia a curto prazo. Além de diminuir o estresse, ter um compromisso com o sono permite que o corpo controle melhor a pressão sanguínea. O sono também afeta o nível de colesterol, que exerce um papel importante nas doenças cardíacas.

O sono ajuda a prevenir erros e acidentes. A National Highway Traffic Safety Administration divulgou em 2009 que o cansaço era responsável pelo maior número de acidentes fatais envolvendo carros que saem da estrada devido ao desempenho do motorista. O mais chocante é que a fadiga do motorista é mais citada que o álcool como causa de acidentes! A falta de sono afeta o tempo de reação e a capacidade de tomar decisões, uma combinação perigosa ao volante.

Se o sono insuficiente por apenas uma noite pode fazer tão mal para a capacidade de dirigir quanto o álcool, imagine como isso afeta a capacidade de manter o foco necessário para ser um empreendedor de alto nível.

Então, de quantas horas de sono você *realmente* precisa? Só você realmente sabe o quanto vai ter que dormir para estar na melhor forma dia após dia. Se você tem dificuldade para dormir ou manter o sono e considera isso preocupante, recomendo o livro de Shawn Stevenson, *Sleep Smarter: 21 Essential Strategies to Sleep Your Way to a Better Body, Better Health and Bigger Success* [Sono mais inteligente: 21 estratégias essenciais para adormecer e obter um corpo melhor, uma saúde melhor e um sucesso maior]. É um dos melhores trabalhos sobre o sono que já vi, profundamente embasado.

Obter repouso consistente e eficaz é tão crucial para um desempenho de alto nível quanto o que você coloca ou não na dieta. Uma boa noite de sono é a base para um dia de pensamentos lúcidos, energia prolongada, o auge do desempenho e o máximo de criatividade para os problemas que surjam ao longo do dia. Comprometa-se a dormir o suficiente e ir para a cama sempre no mesmo horário. Afinal, ainda mais importante do que o número de horas de sono por noite é como você aborda o ato de acordar de manhã.

De quanto sono nós realmente precisamos?

O primeiro fato que os especialistas dizem sobre quantas horas de sono nós precisamos é que não existe um número universal. A duração ideal do sono varia de pessoa para pessoa, sendo influenciada por fatores como idade, genética, estresse, saúde geral, quantidade de exercícios físicos, alimentação (incluindo o horário da última refeição) e vários outros fatores.

Por exemplo, se você come muito fast-food, alimentos processados, açúcar em excesso etc., o corpo terá dificuldade para recarregar as energias durante o sono porque vai trabalhar a noite inteira desintoxicando e filtrando os venenos que você colocou nele. Por outro lado, se você tiver uma dieta saudável e baseada em alimentos vivos, como falamos na seção anterior, o corpo vai descansar com muito mais facilidade. Quem se alimenta bem quase sempre vai acordar renovado, com mais disposição e capacidade para ter alto desempenho do que a pessoa que se alimenta mal, mesmo dormindo *menos*.

Como existe uma grande variedade de evidências opostas, além de incontáveis estudos dizendo que a quantidade de sono necessária varia de pessoa para pessoa, não vou defender a existência de uma abordagem *certa* para o sono. Prefiro compartilhar meus resultados no mundo real, obtidos com a experiência, a experimentação pessoal e estudando os hábitos de sono de algumas das maiores mentes da história. Aviso desde já: algumas dessas informações podem ser um tanto polêmicas.

Como acordar com mais energia (dormindo menos)

Ao experimentar várias durações de sono por conta própria, além de aprender com outros praticantes do *Milagre da Manhã* que testaram essa teoria, Hal descobriu que a forma como o sono afeta a biologia humana é amplamente influenciada pela *crença* pessoal em relação às horas de sono de que precisamos. Em outras palavras, o jeito como nos sentimos ao acordar de manhã não se baseia apenas em quantas horas de sono tivemos, sendo afetados significativamente pela impressão sobre como iríamos nos sentir quando acordamos.

Por exemplo, se você *acredita* que precisa de oito horas de sono para descansar, mas vai dormir à meia-noite e precisa acordar às seis da manhã, provavelmente estará dizendo a si mesmo: "Vou acordar exausto." E o que acontece quando o alarme toca, você abre os olhos e percebe que está na hora de levantar? Qual o seu primeiro pensamento? O mesmo que teve antes de dormir: "Caramba, eu só dormi seis horas. Estou exausto." É uma profecia que sempre se realiza e que é sabotadora. Se você disser a si mesmo que vai acordar cansado, isso vai acontecer. Se você acreditar que precisa de oito horas de sono para ficar bem, não vai aceitar menos que isso. Mas e se você mudar suas crenças?

A conexão entre a mente e o corpo é poderosa, e acredito que devemos assumir a responsabilidade por todos os aspectos da vida, incluindo o poder de acordar todos os dias cheios de energia, independentemente das horas de sono que conseguimos.

QUEM MUITO DORME MUITO PERDE A VERDADE SOBRE ACORDAR

A frase "Quem muito dorme muito perde" pode ter um sentido muito mais profundo do que se imagina. Apertar o botão soneca e só acordar quando *não tem outro jeito* significa que você espera até a hora em que precisa estar em outro lugar, fazer algo ou cuidar de alguém. Assim, você começa o dia com resistência. Sempre que você aperta o botão soneca, está resistindo ao dia, à vida, a acordar e a criar a vida que diz desejar.

De acordo com o diretor médico do Centro de Distúrbios do Sono de Prescott Valley e Flagstaff, Arizona, Robert S. Rosenberg: "Quando você aperta o botão soneca repetidamente, está fazendo dois desserviços a si mesmo. Primeiro, está fragmentando o pouco de sono extra que conseguiu, então ele é de má qualidade. Segundo, você está começando a entrar em um novo ciclo de sono que não terá tempo suficiente para terminar. Isso pode deixar você lento ao longo do dia."

Caso ainda não tenha feito isso, comece a seguir a "Estratégia de cinco passos à prova de soneca para acordar", no Capítulo 2 e você estará pronto para vencer. Se o seu desafio for dormir na hora certa, tente definir um alarme que toque uma hora antes do horário ideal de dormir, com o intuito de começar a desacelerar e se preparar para o sono. Isso vai dar a você uma vantagem quando chegar a hora de acordar, um tempo em que você pode se preparar a fim de aproveitar o dia ao máximo.

Quando você acorda todos os dias com paixão e propósito, faz parte do seleto grupo de conquistadores de alto nível que estão vivendo seus sonhos. Mais importante: você está feliz. Ao mudar a abordagem em relação a acordar de manhã você vai mudar tudo, mas não precisa acreditar em mim. Acredite nestes famosos madrugadores: Oprah Winfrey, Tony Robbins, Bill Gates, Howard Schultz, Deepak Chopra, Wayne Dyer, Thomas Jefferson, Benjamin Franklin, Albert Einstein, Aristóteles e tantos outros.

Ninguém ensinou que definir as intenções de modo consciente ao acordar de manhã, com um desejo genuíno e até entusiasmo, mudaria toda a nossa vida.

Se você continuar tirando sonecas até o último momento possível, depois sair correndo para o trabalho, a escola ou cuidar da família e voltar para casa e relaxar na frente da televisão até a hora de dormir (essa costumava ser minha rotina diária), então eu preciso perguntar: *quando você vai se desenvolver e se tornar a pessoa que precisa para criar o nível de saúde, riqueza, felicidade, sucesso e liberdade que deseja e merece? Quando você vai viver a vida em vez de fazer tudo por obrigação e buscar todas as distrações possíveis para fugir da realidade? E se a sua realidade e a sua vida pudessem finalmente ser algo que você mal pode esperar para estar consciente e começar? E se o início de tudo isso estiver na sua forma de acordar?*

Hoje é o melhor dia para abandonar seu antigo eu em prol da nova pessoa em quem pode se transformar e melhorar a vida atual para que ela seja como você realmente deseja. Não há livro melhor do que este para ensiná-lo a se tornar a pessoa que você precisa ser e que é capaz de atrair, criar e manter a vida que sempre desejou.

Descansar para recarregar

A contraparte consciente do sono é o *descanso*. Embora algumas pessoas usem os termos como se fossem a mesma coisa, eles são bem diferentes. Você pode dormir oito horas, mas, se estiver ocupado todo o resto do dia, não terá tempo para pensar ou recarregar as baterias físicas, mentais e emocionais. Quando você trabalha o dia inteiro e corre de uma atividade a outra, terminando com um jantar rápido e dormindo tarde, não permite um período de descanso.

Da mesma forma, passar os fins de semana levando os filhos ao futebol, vôlei ou basquete e depois saindo para ver um jogo de futebol, ir à igreja, cantar no coral, ir a várias festas de aniversário etc. pode fazer mais mal do que bem. Embora cada uma dessas atividades seja ótima individualmente, ter uma agenda lotada não dá tempo para recarregar as baterias.

Nossa cultura perpetua a crença de que somos mais valiosos, importantes ou estamos mais vivos quando temos dias ocupados e empolgantes. Na verdade, somos tudo isso quando temos paz interior. Apesar das melhores intenções em busca de uma vida equilibrada, o mundo moderno exige que estejamos conectados e sejamos produtivos quase o tempo todo, e essas demandas podem nos esgotar em termos emocionais, físicos e espirituais.

E se, em vez de estar constantemente ocupado, você valorizasse um período intencional de quietude em um espaço sagrado, fazendo um silêncio intencional? Como isso poderia melhorar sua vida, bem-estar físico e emocional e a capacidade de ter sucesso nos negócios?

Pode parecer absurdo tirar um tempo de folga quando sua lista de tarefas a cumprir está imensa, mas a verdade é que descansar mais é um pré-requisito para o trabalho produtivo.

Pesquisas mostram que o descanso acaba com o estresse. Práticas como ioga e meditação também diminuem a frequência cardíaca, a pressão sanguínea e o consumo de oxigênio, além de aliviar a hipertensão, artrite, insônia, depressão, infertilidade, câncer e ansiedade. Os benefícios espirituais do descanso são profundos. Desacelerar e ficar quieto significa que você poderá mobilizar a sabedoria, conhecimento e voz interiores. O repouso e seu parente próximo, o relaxamento, permitem se reconectar com o mundo, abrindo caminho para o sossego e o contentamento na vida.

Caso ainda reste alguma dúvida, você será mais produtivo, mais gentil com os amigos e familiares (além de colegas de trabalho, funcionários e clientes) e muito mais feliz no geral. Descansar é como deixar a terra em pausa em vez de plantar e colher o tempo todo. Nossa bateria pessoal precisa ser recarregada, e o melhor jeito de fazer isso é simplesmente descansando.

Maneiras fáceis de descansar

A maioria de nós confunde descanso com recreação. Para descansar, fazemos atividades como trilhas, jardinagem, exercícios físicos ou nos divertimos em reuniões sociais. Qualquer uma dessas atividades só pode ser considerada descanso por implicarem folgas do trabalho, mas na verdade elas não podem ser definidas dessa forma.

O descanso é uma espécie de sono desperto que você vive enquanto está alerta e consciente. Ele é a ponte essencial para o sono e ambos são conquistados da mesma forma: abrindo espaço e permitindo que eles aconteçam. Todo organismo vivo precisa de descanso, incluindo você. Quando não reservamos tempo para descansar, o corpo acaba sofrendo.

- Se você investir cinco ou mais minutos de manhã durante os Salvadores de Vida para meditar ou ficar em silêncio, será um ótimo começo.
- Você pode reservar um dia da semana para descansar. Você pode ler, ver um filme, fazer algo tranquilo com a família ou até passar um tempo sozinho. Experimente preparar uma refeição em família, brincar com os filhos e apreciar a companhia uns dos outros.
- Quando estiver dirigindo, fique em silêncio: desligue o rádio e mantenha-se longe do celular.
- Dê uma volta sem os fones de ouvido. Até uma breve caminhada ao ar livre sem a intenção ou o objetivo de queimar calorias pode funcionar.
- Desligue a televisão. Reserve meia hora, uma hora ou até metade do dia para o silêncio.
- Tente fazer algumas respirações conscientes em que você se concentre em inspirar e expirar ou no espaço entre as respirações.
- Tome uma xícara de chá com atenção plena, leia algo inspirador, escreva em seu diário, tome um banho quente ou receba uma massagem.
- Faça um retiro. Pode ser com sua equipe, um grupo de amigos, o pessoal da igreja ou qualquer comunidade da qual você faça parte, sua família, cônjuge ou sozinho ao ar livre.

Até mesmo tirar uma soneca é um jeito poderoso de descansar e recarregar as baterias. Se eu me sinto esgotado durante o dia por algum motivo e ainda tenho muitas horas pela frente, não hesito em apertar o botão de reset com uma soneca poderosa de vinte ou trinta minutos. Cochilar também pode melhorar o seu padrão de sono.

É bom definir um período específico para o descanso. Deixe os limites bem claros para aproveitá-lo sem interrupções.

O hábito de descansar

Sendo empreendedor, você está sempre na trincheira. É preciso agendar o tempo para descansar e cuidar de si do mesmo jeito que agenda os outros compromissos da vida. A energia que você conseguir vai recompensá-lo muito mais.

O descanso certamente não foi ensinado na escola e talvez não seja natural no começo. Por ser um empreendedor motivado e determinado, você pode descobrir que precisa transformá-lo em prioridade consciente. Aprender técnicas de atenção plena e trazê-las para a vida diária é uma maneira eficaz de descansar profundamente o corpo, a mente e o espírito. Práticas como meditação, ioga e silêncio deliberado no meio do dia são formas poderosas de se voltar para dentro e descansar, especialmente quando existe o compromisso de praticá-los regularmente.

Quanto mais você integrar períodos de descanso e silêncio à vida diária, maior será o resultado. Durante os períodos mais tranquilos, talvez você não precise de tanto descanso, mas os períodos de maior intensidade (como bater uma meta difícil ou cumprir um prazo apertado) podem exigir mais descanso e silêncio do que o habitual.

Aliar exercícios físicos, escolhas alimentares saudáveis, sono consistente e descanso dará um salto imenso na direção certa para você e sua empresa. Lembre-se: ao adotar essas três práticas de comer, dormir e descansar com mais eficácia, você poderá achá-las desconfortáveis no começo. O corpo e a mente podem encontrar resistência. Não fuja do desconforto e comprometa-se a ter uma vida saudável.

Como colocar a engenharia de energia em prática

Primeiro passo: comprometer-se a comer e beber para obter energia e priorizar as consequências dos alimentos que consome em vez do sabor.

Após o primeiro copo de água matinal, é bom comer algum tipo de gordura saudável para abastecer o cérebro. Experimente incorporar uma nova refeição saudável composta por alimentos *vivos* à dieta todos os dias. Em vez de comer batatas fritas industrializadas, experimente chips de couve crespa ou frutas orgânicas frescas. E lembre-se de carregar uma garrafa cheia de água o tempo todo para se hidratar.

Segundo passo: dormir e acordar para vencer ao se comprometer com um horário consistente para começar e terminar o sono todos os dias. Com base no horário em que você acorda para fazer seu *Milagre da Manhã*, determine a hora de dormir a fim de garantir o descanso adequado. Mantenha esse horário de dormir por algumas semanas para que o corpo se adapte. Se você precisar de um pequeno estímulo para levantar da cama no horário certo, configure um alarme recorrente e comece a desacelerar uma hora antes de dormir. Após algumas semanas, fique à vontade para brincar com o número de horas reservadas para o sono com o intuito de otimizar o nível de energia.

Terceiro passo: incorporar tempo na agenda diária para descansar e recarregar as baterias, seja meditando, tirando um cochilo, saindo para uma caminhada ou fazendo qualquer atividade que lhe dê alegria. Hal faz duas horas de almoço por dia, garantindo tempo para jogar basquete ou praticar wakeboard, duas atividades que ele adora e que recuperam totalmente as suas energias. Que atividades você pode acrescentar ao seu dia para fazer o mesmo por você? Além da rotina do seu *Milagre da Manhã*, agende períodos diários e regulares para descansar e recarregar as baterias.

PERFIL DO EMPREENDEDOR

Jayson Gaignard

A empresa de Jayson Gaignard é a MastermindTalks.

PRINCIPAIS CONQUISTAS NOS NEGÓCIOS

- Jayson foi nomeado pela revista *Forbes* um dos Principais Networkers para Prestar Atenção.
- Ele é o fundador de uma das comunidades empresariais mais exclusivas do mundo (na qual é mais difícil de entrar do que a Universidade Harvard).

ROTINA MATINAL

- Antes de dormir, Jayson planeja as três principais atividades que precisa realizar no dia seguinte e prioriza uma delas acima de todas as outras. Isso ajuda a evitar a fadiga de decisão.
- Como o sono é importante para ele, Jayson vai dormir às 21h30.
- Ele acorda às 5 horas.
- Em seguida, Jayson escreve ou faz brainstorm em duas sessões de 25 minutos, conhecidas como pomodoros.
- Ele fica totalmente desconectado dos e-mails e redes sociais de manhã, pois reserva esse tempo para o trabalho criativo e que requer concentração.

- Jayson se concentra na principal atividade do dia por mais dois ou três pomodoros. Ele tem mais força de vontade pela manhã, por isso prefere trabalhar no que é mais desafiador primeiro.
- Ele faz exercícios simples e se alonga para fazer o sangue fluir.
- Em seguida, Jayson faz cinco minutos de meditação com os olhos abertos.
- Ele pesquisou muito sobre os benefícios médicos da termogênese fria, então sempre toma um banho frio logo depois de meditar.
- Quando sua filha acorda, Jayson está pronto para a segunda parte do dia.

Capítulo 6

TERCEIRA HABILIDADE PARA ELEVAR O EMPREENDEDOR:

Foco inabalável

O guerreiro de sucesso é o homem comum que tem foco preciso como um laser.

— Bruce Lee, artista marcial e ator de renome mundial

Todo mundo conhece aquela pessoa. Você sabe, *aquela* pessoa. A que corre maratonas, treina o time de futebol infantil, faz trabalho voluntário na escola do filho e talvez escreva um romance nas horas vagas. E o que mais? É um empreendedor incrível, recebe muita atenção da imprensa e ganha prêmios, além de expandir a empresa de modo excepcional, ano após ano. Aposto que você conhece alguém assim, que parece incrivelmente e inexplicavelmente *produtivo*.

Ou talvez você conheça *esta* pessoa: o empreendedor que gerencia uma empresa de mais de um milhão de dólares, mas nunca parece trabalhar nela. Ele está sempre jogando golfe ou passeando no lago, mesmo em um dia útil. Toda vez que você o encontra, ele fala das férias que acabou de tirar ou das que está prestes a tirar. Ele está em ótima forma física, sempre feliz e faz todo mundo a sua volta se sentir importante.

O que você provavelmente não sabe é como essas pessoas conseguem fazer tudo isso. Talvez você acredite que elas tenham sorte, um dom, os melhores contatos, a personalidade certa ou nasceram com superpoderes.

Embora tudo isso possa ajudar quando se trata de empreendedorismo, eu sei por experiência própria que o verdadeiro superpoder de cada empreendedor incrivelmente produtivo é o *foco inabalável*: a capacidade de manter a clareza em relação às suas maiores prioridades, além de pegar toda a energia que você aprendeu a gerar, canalizá-la no que mais importa e mantê-la, independentemente do que aconteça ao seu redor ou de como você se sente. Essa capacidade é crucial para alcançar um desempenho de alto nível.

Uma das funções essenciais do empreendedor é fornecer a visão para a empresa, que será compartilhada interna e externamente a fim de manter todos trabalhando em conjunto para criar o futuro predeterminado por ele. Esse é o objetivo da visão vívida, que vou abordar em detalhes no próximo capítulo. É uma ferramenta criada para permitir que os empreendedores olhem três anos no futuro, vejam onde a empresa deve estar e depois trabalhem para conquistar essa aspiração com objetivos anuais.

Desenvolver e manter a visão exige foco inabalável nas questões mais amplas que ocorrem dentro do seu mercado, do seu ramo de trabalho e da sociedade como um todo. Como se fosse um capitão pilotando um navio pelo oceano (antes do GPS, para a analogia funcionar), o CEO precisa traçar a melhor rota e confiar que o imediato vai manter o navio em perfeitas condições, a tripulação vai fazer seu trabalho e os passageiros estarão bem cuidados.

Se você lida constantemente com a distração dos e-mails, telefonemas, reuniões, videoconferências, contratações e demissões, além de várias outras minúcias, o foco diminui quando deveria aumentar.

Quando você canalizar o poder do foco, não vai se transformar em um super-humano, mas poderá conquistar resultados que parecem sobre-humanos. E os motivos para isso são surpreendentemente fáceis de entender.

- **O foco inabalável deixa você mais eficaz**. Ser eficaz não significa fazer mais ou fazer tudo mais rapidamente. Significa fazer o *certo* e se envolver nas atividades que deem impulso à sua empresa e gerem vendas.
- **O foco inabalável deixa você mais eficiente**. Ser eficiente significa fazer tudo com o mínimo de recursos como tempo, energia ou

dinheiro. Toda vez que a mente se afasta dos seus objetivos, você desperdiça tudo isso, especialmente tempo. No empreendedorismo, tempo é dinheiro, então, a cada momento em que o foco se abala, 1 real (ou centenas de milhares de reais) se perde.

- **O foco inabalável aumenta a produtividade.** Entenda: o fato de estar *ocupado* não significa que você está sendo *produtivo*. Na verdade, empreendedores com dificuldades financeiras geralmente são os mais ocupados. Quando você tiver uma visão clara, identificar as suas maiores prioridades e fizer as atividades mais alavancadas de modo consistente, deixará de ser ocupado e passará a ser produtivo. É comum confundir estar ocupado e envolvido em atividades que não geram resultados (como verificar e-mails, lavar o carro ou reorganizar a lista de tarefas pela 12ª vez no mês) com ser produtivo.

Ao dar os passos que estamos prestes a explicar, você vai desenvolver o foco inabalável e se juntar ao grupo das pessoas mais produtivas do mundo.

Se você combinar esses benefícios, terá o máximo do desempenho e vai conquistar muito mais. Contudo, talvez o maior valor do foco seja levar você a avançar não só em termos de resultado final como em todas as áreas importantes da vida. Em vez de espalhar sua energia por múltiplas áreas da vida e obter resultados medíocres, você vai liberar o potencial inexplorado e também melhorar a sua vida.

Agora vamos convocar o *Milagre da Manhã* para essa tarefa. Veja os quatro passos que você precisa seguir no *Milagre da Manhã* para ter foco prolongado.

ENCONTRAR O(S) MELHOR(ES) AMBIENTE(S) PARA O FOCO INABALÁVEL

Vamos começar: *você precisa de um ambiente que ajude no seu compromisso com o foco inabalável.* Pode ser o seu escritório, um escritório em casa ou um café. Não importa o quanto seja simples, você precisa de um lugar aonde ir para se concentrar em fazer negócios.

Uma parte do motivo para isso é logística simples. Se os seus materiais de trabalho estiverem espalhados entre o porta-malas do carro e o balcão da cozinha, você não conseguirá ser eficaz. Contudo, o principal motivo é que ter um lugar onde você ganha foco ativa o hábito da concentração. Tentar trabalhar na mesa da cozinha ou fazer ligações para clientes em potencial sentado no sofá da sala de estar deixa você suscetível a atividades improdutivas, como fazer um lanchinho ou assistir televisão. Sente-se à mesma mesa para fazer um trabalho excelente no mesmo horário todos os dias e logo você vai se sentir mais concentrado só de ocupar aquela cadeira.

Se você viaja muito como eu, então o carro, a mala, os quartos de hotel e talvez cafés aleatórios também façam parte do seu espaço de foco. Crie hábitos para fazer as malas e trabalhar em viagens e você conseguirá ativar o foco do mesmo jeito que faz no escritório. Quando você está sempre preparado e tem exatamente o que precisa à mão, é possível trabalhar em qualquer lugar. Eu posso trabalhar no seu sofá ou no seu quarto de hóspedes, se for necessário.

LIVRAR-SE DA BAGUNÇA QUE DESCONCENTRA

A bagunça é a assassina do foco, e enfrentá-la é a próxima parada nessa viagem. Existe um motivo pelo qual o livro de Marie Kondo *A mágica da arrumação* é uma das obras de não ficção mais vendidas da última década. Organizar tanto o espaço físico quanto o mental vai inspirar uma mentalidade calma e motivada.

Existem dois tipos de bagunça, a mental e a física, e todos nós praticamos os dois. Carregamos pensamentos desordenados na cabeça sobre tarefas que precisam ser feitas, como estes: *O aniversário da minha irmã está chegando. Eu deveria comprar um presente e um cartão para ela. Eu me diverti muito no jantar outro dia. Preciso mandar um cartão de agradecimento ao anfitrião. Preciso responder o e-mail do meu novo cliente antes de sair do escritório hoje*

E existem também os objetos físicos que acumulamos: pilhas de papéis, revistas velhas, anotações em post-its, roupas que nunca usamos, a pilha de lixo na garagem. As bugigangas, quinquilharias e objetos que juntamos ao longo da vida.

A bagunça de qualquer tipo cria o equivalente a uma névoa pesada: para ter foco, é preciso conseguir *enxergar*. Para clarear a visão, você tem que tirar esses itens da cabeça e reuni-los de modo a aliviar o estresse mental de tentar se lembrar deles. E, depois, você vai querer tirar esses itens físicos do caminho.

Aqui está um processo simples para ajudá-lo a limpar a neblina e conseguir a nitidez de que precisa para se concentrar.

- **Crie uma grande lista de tarefas.** Você provavelmente tem muitas tarefas que ainda não escreveu, então comece por aí. Reúna o conteúdo de todos aqueles post-its que bagunçam a sua mesa, tela de computador, agenda, bancadas da cozinha e geladeira (existem outros lugares?). Coloque essas anotações em sua grande lista que ficará em um lugar central, seja um diário físico ou uma lista no celular, a fim de limpar o armazém mental. Está se sentindo melhor? Continue, estamos apenas começando.
- **Faça uma limpeza no espaço de trabalho.** Agende meio período (ou um dia inteiro) para olhar cada pilha de papel, arquivo cheio de documentos e a bandeja repleta de cartas fechadas no escritório — você entendeu a ideia. Jogue fora ou rasgue o que não precisa e digitalize ou arquive o que for importante. Anote em seu diário o que precisa de atenção e não pode ser delegado, depois reserve um momento na agenda para terminá-lo.
- **Organize a vida.** Sempre que possível, limpe e arrume todas as gavetas, armários, gabinetes ou qualquer outro espaço que não dê uma sensação de calma e paz quando você olha para ele. Isso inclui o seu carro. Esse processo pode levar algumas horas ou dias. Agende um breve período a cada dia até terminar. Dizer: “Basta um fim de

semana para organizar tudo" é a certeza de não começar jamais. Pegue uma gaveta e comece por ela. Você vai ficar surpreso com o quanto esses pequenos períodos de trabalho se acumulam. Se quiser mais sugestões, experimente o livro de S. J. Scott e Barrie Davenport chamado *Organize em 10 minutos.*

Organizar-se em termos físicos e mentais vai permitir que você se concentre em um nível que nunca imaginou ser possível. Deixe que a sua energia vá apenas para o que é importante.

PROTEGER-SE DE INTERRUPÇÕES

Além de gerenciar minha empresa de coaching e de palestras, eu lidero a COO Alliance (um grupo de *mastermind*) e escrevi quatro livros. Além disso, sou casado e tenho dois filhos. Como você pode imaginar, o tempo tem uma importância crucial para mim, e tenho certeza de que o mesmo acontece com você.

Para evitar distrações e garantir que minha atenção se concentre na tarefa que estou fazendo, o celular quase sempre está no modo Não Perturbe, que bloqueia todas as ligações, mensagens ou notificações de e-mails e redes sociais. Foi algo simples que aumentou drasticamente minha produtividade diária e a capacidade de manter o foco na tarefa da vez. Recomendo retornar telefonemas e e-mails em horários designados antecipadamente de acordo com sua agenda, e não quando alguém entrar em contato.

Você pode aplicar a mesma filosofia e estratégia a quaisquer notificações, alertas e/ou atualizações de redes sociais, além de sua disponibilidade para colegas, funcionários e até clientes. O Não Perturbe é mais do que uma configuração do celular. Avise a sua equipe sobre os períodos em que você está disponível e sobre os momentos em que eles precisam deixar você trabalhar em paz.

CONSTRUIR UMA BASE PARA O FOCO INABALÁVEL

Quando você identificar o seu lugar de foco e começar o processo de organizar a vida, deverá sentir um aumento notável na concentração ao limpar a névoa mental.

Agora é hora de levar tudo a outro patamar. Eu uso estas três perguntas para melhorar o foco todos os dias:

- O que está funcionando e eu devo *continuar fazendo* (ou fazer mais)?
- O que eu preciso *começar a fazer* para acelerar meus resultados?
- O que eu preciso *parar de fazer* imediatamente, pois está me impedindo de avançar?

Se você conseguir responder a essas três perguntas e agir motivado pelas respostas, vai descobrir um nível de produtividade que provavelmente nunca imaginou ser possível. Vamos analisar cada uma das perguntas em detalhes.

O QUE VOCÊ PRECISA *CONTINUAR FAZENDO* (OU FAZER MAIS)?

Vamos encarar os fatos: nem todas as táticas e estratégias são iguais. Algumas funcionam melhor do que outras. Existem as que funcionam por um tempo e depois ficam menos eficazes, enquanto outras até pioram a situação.

A esta altura, você já deve estar fazendo muitas atividades certas e vai acenar positivamente com a cabeça ao ler os próximos capítulos sobre os princípios para elevar o empreendedor. Se você já souber o que está dando certo, anote. Talvez você já esteja encontrando possíveis clientes e fechando negócios, por exemplo. Talvez tenha mandado o seu diretor de operações à COO Alliance e esteja vendo resultados. Então, coloque tudo isso na lista do que está funcionando.

Escolha o que contribui para aumentar o sucesso da sua empresa. É fácil manter o que você *gosta* de fazer, mas esta é a realidade do empreendedorismo: é preciso garantir que as atividades realizadas estejam diretamente relacionadas a gerar novas receitas, identificar e contratar novos funcionários e, no fim das contas, colocar dinheiro em sua conta bancária. Pense na regra 80/20 (originalmente chamada de Princípio de Pareto), segundo a qual aproximadamente 80% dos resultados vêm de 20% do esforço. Quais são os 20% das suas atividades que afetam 80% dos seus resultados?

Registre no seu diário as atividades que estão dando certo (espero que fazer os Salvadores de Vida esteja entre elas). É preciso continuar fazendo o conteúdo dessa lista até substituí-lo por algo ainda mais eficaz.

Em cada uma dessas atividades que precisam continuar a ser feitas, seja totalmente honesto em relação ao *que você precisa fazer mais* (em outras palavras, o que você não está fazendo o suficiente no momento). Lembre-se: qualquer porcentagem de aumento em um processo identificado como excelente por um grande período de tempo deverá resultar na mesma porcentagem de aumento no crescimento da empresa como um todo. Passe de vinte para trinta ligações por dia (aumento de 50%) e será questão de tempo até ver a empresa crescer aproximadamente 50% e muito mais, à medida que seus funcionários começarem a reproduzir o seu nível de eficácia.

Continue fazendo o que está funcionando e, dependendo do quanto você deseja conquistar, faça *ainda mais* essas atividades que estão dando resultado.

O QUE VOCÊ PRECISA *COMEÇAR* A FAZER?

Depois de ter anotado o que está funcionando e determinado o que precisa fazer mais, é hora de decidir o que *mais* você pode fazer para acelerar o sucesso.

Tenho algumas sugestões excelentes para você começar com tudo.

- Organize seu banco de dados para fazer um acompanhamento com os clientes em potencial, além da sua esfera de influência. Para saber mais sobre esse assunto, recomendo fortemente o livro bem-sucedido de Michael J. Maher *The 7 Levels of Communication* [Os sete níveis da comunicação].

- Faça a sua presença na internet atrair negócios. Você pode usar um serviço como o *Likeable Hub* (https://likeablehub.com) ou contratar alguém para otimizar suas redes sociais e melhorar o SEO [sigla em inglês para *Search Engine Optimization*, ou otimização para mecanismos de busca], as taxas de conversão e o desenvolvimento de conteúdo.
- Crie uma *agenda básica*, aquele cronograma semanal ideal e recorrente com horários reservados, conforme discutido no Capítulo 4, para que todos os dias, quando você acordar, as suas maiores prioridades já estejam predeterminadas e planejadas. Depois, faça os ajustes necessários para a semana seguinte no domingo à noite.
- Tenha todas as ferramentas e materiais de que precisa à mão o tempo todo. Gerencie bem o seu estoque de modo a ficar sempre preparado para fazer o que é preciso.
- Depois de identificar as atividades que você está fazendo e *não* afetam diretamente o crescimento (em outras palavras, as tarefas que são importantes, mas que você não deveria fazer), planeje a primeira (ou próxima) contratação. Pode ser um assistente pessoal, um assistente virtual, um estagiário ou até um iniciante nos negócios que deseje conviver com você no ambiente profissional e ajudar no seu dia a dia. Perceba que contratar alguém para liberar seu tempo é um *investimento*, não uma despesa. Vale a pena liberar tempo suficiente para aumentar suas vendas entre 20% e 50%? É hora de começar a pensar grande. Se você não tiver um assistente, você é o assistente.

Recomendo não se sentir sobrecarregado. Lembre-se: Roma não foi construída em um dia. Não é preciso identificar 58 itens e colocá-los em prática amanhã. A vantagem de ter uma prática diária de escrita no seu *Milagre da Manhã* está em registrar tudo o que você deseja fazer. Então, adicione uma ou duas atividades por vez ao seu arsenal para o sucesso até elas se transformarem em hábitos.

O QUE VOCÊ PRECISA *PARAR* DE FAZER?

A esta altura, você provavelmente acrescentou alguns itens à lista de tarefas para começar a fazer. Se estiver se perguntando de onde virá o tempo para isso, este pode ser o seu passo favorito. É hora de abandonar o que você está fazendo e não está dando certo a fim de abrir espaço para o que funciona.

Certamente existe uma série de atividades diárias que você sentirá alívio ao deixar de fazer e gratidão por delegar a outra pessoa — ou se livrar delas de vez.

Por que não parar de:

- Ingerir alimentos que esgotam a energia, atrapalhando a sua vida e motivação?
- Trabalhar quando você estiver cansado, e também nos fins de semana e feriados?
- Responder mensagens de texto e e-mails imediatamente?
- Atender o telefone? (Deixe cair na caixa postal e responda quando for melhor para você.)
- Fazer tarefas repetitivas como pagar contas, ir ao mercado várias vezes por semana ou até limpar a casa?

Agora, se você quiser melhorar drasticamente o foco em um passo simples, experimente este aqui:

Pare de responder notificações eletrônicas como uma foca treinada.

Você realmente precisa ser alertado toda vez que recebe mensagens, e-mails e notificações das redes sociais? Creio que não. Entre nas configurações do telefone, tablet e computador e desative *todas* as notificações.

A tecnologia existe para ser usada a seu favor, e é possível assumir o controle sobre ela neste minuto. A frequência de verificação da caixa postal, mensagens de texto e e-mails pode e deve ser decidida por *você*. Convenhamos, nós somos empreendedores, não médicos especializados em cirurgias de emergência. Não precisamos estar disponíveis e responder imediatamente 24 horas por dia, sete dias por semana. Uma alternativa eficaz para isso é agendar horários para ver o que está acontecendo, saber o que precisa de sua atenção imediata, além de quais itens podem ser acrescentados a sua agenda ou grande lista de tarefas e o que pode ser excluído, ignorado ou esquecido.

Você pode colocar uma mensagem na caixa postal para avisar às pessoas de que vai verificá-la ao meio-dia e às 16 horas todos os dias. Se a ligação for uma emergência, eles podem e devem mandar uma mensagem de texto para o mesmo número. Eu uso o aplicativo Grasshopper.com para me ajudar com o correio de voz. Ao definir expectativas adequadas em relação ao tempo de esposta, os clientes, possíveis clientes e funcionários nunca ficarão decepcionados quando você levar algumas horas para retornar a ligação.

O FOCO INABALÁVEL É UM HÁBITO

O foco é como um músculo que você constrói ao longo do tempo, e, como acontece com qualquer músculo, é preciso utilizar para que ele cresça. Não se critique tanto se enfrentar dificuldades e continue em frente, pois tudo ficará mais fácil. Talvez demore um pouco para aprender a se concentrar, mas você vai ficar melhor a cada dia. No fim das contas, tudo é questão de *se transformar* em alguém que consegue se concentrar, e isso começa quando você enxergar a si mesmo como tal. Recomendo adicionar algumas frases a suas afirmações sobre o compromisso com o foco inabalável e o que você vai fazer todos os dias para desenvolvê-lo.

A maioria dos empreendedores ficaria chocada ao descobrir que gasta pouquíssimo tempo em atividades importantes e relevantes a cada dia. Reserve sessenta minutos hoje ou nas próximas 24 horas para se concentrar *na sua tarefa mais importante* e você ficará surpreso com a produtividade e a sensação de independência e realização ao terminá-la.

A esta altura, você já acrescentou atitudes e áreas de foco incríveis ao seu arsenal de sucesso. Após terminar as etapas a seguir, vá para a próxima seção, onde vamos afiar sua capacidade empreendedora e aliá-la aos Salvadores de Vida de um jeito que você provavelmente nunca imaginou!

Como colocar o foco inabalável em ação

Primeira etapa: escolher ou criar o ambiente ideal para ajudar o foco inabalável. Se o seu foco for excelente quando estiver trabalhando em um lugar público, como um café, agende alguns blocos de tempo na Starbucks mais próxima. Se você trabalha em casa, coloque em prática a segunda etapa.

Segunda etapa: limpar a bagunça física e mental. Comece agendando meio dia para limpar o espaço de trabalho e depois limpe a mente. Organize todas as pequenas listas de tarefas que estão flutuando em sua cabeça e crie uma grande lista de tarefas no computador, celular ou diário.

Terceira etapa: proteger-se de interrupções, tanto da sua parte quanto de outras pessoas. Limite as distrações que possam afastar você das tarefas que pretende realizar, desativando as notificações, colocando o celular no modo Não Perturbe e avisando ao seu círculo de influência que você estará indisponível durante os blocos de tempo agendados e vai retornar em horários designados com antecedência.

Quarta etapa: escrever as listas de foco inabalável. Pegue seu diário ou abra um documento ou anotação no celular ou computador e crie as três listas a seguir:

- **O que eu preciso continuar fazendo (ou fazer mais)?**
- **O que eu preciso começar a fazer?**
- **O que eu preciso parar de fazer?**

Comece a anotar tudo o que vier à cabeça, depois revise as listas e determine quais atividades podem ser automatizadas, terceirizadas ou delegadas. Quanto tempo você passa nas atividades principais de produção de renda e crescimento da empresa? Repita essas perguntas até obter clareza em relação ao *seu processo* e comece a reservar horários na agenda para gastar aproximadamente 80% do seu tempo em tarefas que geram resultados. Delegue o restante.

COMO EU MANTENHO O FOCO

Uma atividade que gosto de fazer para manter o foco positivo é criar uma lista de tudo o que conquistei durante a semana. É um ato de autoelogio, que serve para fazer uma pausa, refletir e perceber que o progresso está acontecendo em ritmo constante na direção do resultado desejado. Também é um jeito de me manter animado quando a situação fica difícil, evitando o esgotamento, além de ser um lembrete de que eu consigo e que estou fazendo o que me dispus a fazer. Não seja negativo, é inútil. Aprenda com seus erros e mantenha a atitude positiva. Se eu defino cinco novos objetivos para a próxima semana, também vou anotar cinco conquistas que tive na semana anterior para me sentir bem em relação ao meu esforço. Sei que isso ajuda a criar mais embalo positivo.

Essa forma de foco positivo é tão eficaz que comecei a fazer algo parecido com os empreendedores de quem sou coach. Sempre que eles definirem um novo objetivo, devem se elogiar ou se recompensar por algo que já conquistaram. Definiu um objetivo semanal? Parabenize-se por um objetivo conquistado na semana anterior. Está definindo um projeto trimestral? Reserve um momento para refletir sobre o último projeto trimestral que finalizou.

Essa ideia remonta ao equilíbrio inerente do *yin* e *yang*. Os opostos *podem ser* complementares e criar harmonia (o tipo certo de opostos, claro). É fácil se envolver na ideia de buscar objetivos cada vez maiores e conquistar a próxima montanha. Mantemos a falsa crença de que, se alcançarmos a próxima montanha, seremos felizes. A realidade do empreendedor é que sempre vai haver outra montanha que desejamos escalar, então apreciar a jornada é fundamental.

Outra forma de manter o foco é afastar o telefone durante à noite. Eu deixo o meu na cozinha ou no escritório quando vou dormir. Não preciso ter acesso a um dispositivo que suga o tempo nas minhas horas cruciais de recuperação. Além disso, a primeira ação que faço de manhã não é mergulhar na pista de obstáculos do dia. Faça isso *depois* de terminar os Salvadores de Vida, tomar um banho, preparar uma xícara de café e começar sua manhã. Se você puder adiar tudo para depois do café, melhor ainda.

Se isso for difícil para você, pense em um aplicativo de acompanhamento de hábitos para se acostumar à nova rotina. Eu uso um aplicativo chamado *Way of Life* para escolher os hábitos que desejo incorporar e marco como feitos depois de realizá-los a cada dia. Um dos hábitos que controlo dessa forma é "Fazer os Salvadores de Vida antes de pegar o telefone". Ele serve de lembrete e não deixa de ser uma forma de responsabilização.

Por fim, para manter o foco, eu invisto pesadamente em mim mesmo. O que quero dizer com isso é: quando vou a eventos, conferências ou entro em um novo grupo, eu me cerco de pessoas realmente inteligentes que estão fazendo algo de bom. Isso me dá foco. Se eu sou o cara mais inteligente do recinto, estou no lugar errado. Nos últimos anos, entrei e participei ativamente de alguns grupos novos para empreendedores de alto desempenho: Genius Network, Mastermind Talks, Strategic Coach e Maverick. São redes de empreendedores incrivelmente motivados e concentrados que também me ajudam a progredir.

Concordo com Jim Rohn quando ele diz: "Você é a média das cinco pessoas com quem mais convive." Com quem você mais convive? Se você investir tempo e dinheiro em indivíduos de alto desempenho, vai ganhar muito mais dinheiro do que conseguiria jogando no mercado de ações. Pense nisso da seguinte forma: a sua *rede de contatos* é o seu *patrimônio líquido.*

Claro que investir em si mesmo vai além de se cercar de outras pessoas. Eu ouço podcasts enquanto corro, o que me permite aproveitar melhor o tempo e fazer duas tarefas importantes para o meu bem-estar. Também ouço audiolivros da mesma forma, o que me permite dedicar um tempo exclusivo à família em vez de ficar longe dela para ler.

Pense nas categorias que abrangem as principais áreas da vida: amigos, família, forma física, finanças e fé. O ideal é sempre manter esses pilares básicos equilibrados, deixando tudo em perfeita harmonia, mas não é assim que o mundo funciona. Na melhor das hipóteses, você consegue gerenciar adequadamente dois ou três de uma vez, enquanto os outros saem perdendo. Vai haver momentos em você será capaz de concentrar a atenção nos amigos e na família (durante as férias, por exemplo). Em outros momentos, eles vão ficar em segundo plano para a fé e as finanças, enquanto você reza para que uma empresa de capital de risco financie a sua startup.

Veja algumas dicas que sempre funcionaram para mim.

Tenha sempre em mente a sua visão vívida e os objetivos trimestrais

Escrever a sua visão vívida e os seus objetivos, dividi-los com outras pessoas e reler tudo regularmente vai ajudá-lo a se concentrar e agir para conquistá-los. Você pode escolher os principais projetos em que vai trabalhar e dizer não a outros que só servem para ocupa-lo. (Falarei mais sobre a visão vívida no próximo capítulo).

Concentre-se em duas a três tarefas importantes por dia

Sim, todos nós temos um número infinito de tarefas a cumprir, mas é questão de trabalhar nas atividades críticas em vez das outras que são importantes.

Comece o dia com suas três principais tarefas

Para conseguir isso, faça tudo no início do dia. Assim que começar a trabalhar, mergulhe nessas tarefas cruciais. Os e-mails podem esperar. Na verdade, às vezes o trabalho mais produtivo vai ser feito antes de sair para o escritório. Assim, você trabalha nas três principais tarefas antes de se distrair com os e-mails e outras atividades.

Divida o trabalho em partes menores

Tente não se concentrar no objetivo ou projeto como um todo. Divida-o em partes menores. Existe um velho ditado que diz: "O melhor jeito de comer um elefante é uma mordida de cada vez."

Ao se concentrar nas partes menores, você não vai desanimar porque o objetivo é grande demais. Além disso, essa estratégia diminui a probabilidade de se distrair e devanear sobre o objetivo maior. Veja alguns exemplos:

- Escrever dois posts no blog por dia.
- Fazer três ligações de vendas por dia.
- Ligar para três clientes por dia.

Esses pequenos pedaços vão aumentar o seu marketing nas redes sociais, gerando mais clientes e melhorando o atendimento. E eles são fáceis de cumprir.

Visualize-se trabalhando

Veja a si mesmo concentrado e trabalhando. Sinta-se cumprindo a tarefa. Você subitamente vai pegar o embalo. Foi comprovado que visualizar trabalha as mesmas partes da mente que fazem a atividade desejada.

Fuja das distrações

Fuja de qualquer atividade que o distraia. Não fique perto da TV, afaste-se de funcionários ou crianças que estejam falando. Trabalhe de manhã cedo, antes que todos cheguem ao escritório. Trabalhe em um clube ou espaço de reuniões. Trabalhe no quintal de casa. Eu tenho o costume de passar as manhãs de quinta-feira fora do escritório e usá-las como dias de concentração.

Use a técnica Pomodoro

Mencionada anteriormente no livro, a técnica Pomodoro serve para gerenciar o tempo e foi desenvolvida no fim dos anos 1980. A ideia é usar um timer para dividir o trabalho em intervalos, tradicionalmente de 25 minutos, separados por pequenas pausas. Esses intervalos são chamados de pomodoros, o plural em inglês da palavra italiana *pomodoro* (tomate), em homenagem ao timer de cozinha em formato de tomate que o criador usava quando era universitário. O método se baseia no conceito de que pausas frequentes melhoram a agilidade mental. Eu uso um aplicativo no iPhone chamado Focus Time para isso.

A técnica tem seis estágios:

1. Decidir a tarefa a ser feita.
2. Definir o timer com um pomodoro (tradicionalmente 25 minutos).
3. Trabalhar na tarefa até o timer apitar. Se aparecer uma distração na sua cabeça, anote-a, mas retome a tarefa imediatamente
4. Após ouvir o timer, faça um risquinho em um pedaço de papel.
5. Se você tiver menos de quatro riscos, faça um breve intervalo (de três a cinco minutos), depois volte à etapa 1.
6. Do contrário, (isto é, após quatro pomodoros), faça uma pausa mais longa (de 15 a trinta minutos), redefina a contagem de risquinhos para zero, depois volte à etapa 1.

PERFIL DO EMPREENDEDOR

Joey Coleman

A empresa de Joe Coleman é a Design Symphony.

PRINCIPAIS CONQUISTAS NOS NEGÓCIOS

- Joey é um palestrante muito bem avaliado em várias competições nacionais e internacionais com autores que estão entre os mais vendidos do *New York Times*, celebridades e sensações da internet.
- Ele ajudou vários clientes de startup a conquistarem êxitos de sete a oito dígitos.
- Ele tem uma carreira eclética: já trabalhou para o Serviço Secreto dos EUA, a Casa Branca e a CIA, foi advogado de defesa na área criminal em um escritório particular, ensinou profissionais em um programa de educação para executivos e administrou uma firma bem-sucedida de experiência de marca por mais de uma década.
- Ele construiu e manteve um portfólio empolgante de clientes de design e palestras, incluindo a NASA, Zappos, Banco Mundial, Save Darfur Coalition, Instituto de Tecnologia de Massachusetts, Deloitte, YouTube e Google.
- Ele foi coach de CEOs, palestrantes profissionais e medalhistas olímpicos, aperfeiçoando as habilidades deles para fazer palestras e apresentações.

ROTINA MATINAL

- Joe acorda por volta das 8h30.
- Ele dá uma olhada no Facebook.
- Em seguida, escreve em seu *Five Minute Journal.*
- Joe toma um banho e se veste enquanto pensa nas intenções para o dia e revisa a agenda.
- Ele faz a refeição matinal composta por uma barra nutritiva, o suco *Berry Suja Juice* e dois litros de água.
- Em seguida, Joe passa um tempo brincando com os filhos mais novos.
- Depois, vê as manchetes do dia na internet.
- Joey verifica os e-mails, respondendo o máximo possível ao longo de uma hora.
- Por fim, ele trabalha em seus projetos que requerem mais concentração.

PARTE III:

PRINCÍPIOS PARA ELEVAR O EMPREENDEDOR

Capítulo 7

PRIMEIRO PRINCÍPIO PARA ELEVAR O EMPREENDEDOR:

Criar a visão vívida

Tudo o que a mente humana pode conceber e acreditar ela pode conquistar.

— Napoleon Hill

Uma das habilidades cruciais que os empreendedores precisam dominar é a forma de esclarecer e comunicar sua visão para que todos ao redor possam ver o mesmo que eles.

Muitas pessoas criam objetivos para o futuro, mas a maioria não tem visão para acompanhá-los e não sabe como será a vida e os negócios quando conquistarem seus objetivos. Por exemplo, se o objetivo for triplicar ou quadruplicar os lucros, o que isso mudaria na sua empresa? Quantas pessoas precisariam ser contratadas? Você teria que mudar de escritório ou precisaria de mais de um local? Você forneceria serviços diferentes? Como eles seriam? Se criar a imagem da sua empresa vale mil palavras, criar o que chamo de visão vívida® para sua empresa vale mais ainda.

Criar a visão vívida é o primeiro passo para duplicar o tamanho da sua empresa. Pode parecer uma tarefa simples, mas colocar essa visão em prática exige mais do que olhar para os números da empresa. A maioria dos empreendedores descobre que precisa ter um conjunto de habilidades bem diferente do que normalmente usam. Neste capítulo vou mostrar a vocês como desenvolver essas habilidades e criar a visão vívida para os seus objetivos.

Antes de dedicar tempo e energia a pensar em como será a empresa daqui a três anos, é preciso entender que não basta desenvolver a visão vívida. Todos têm que se concentrar nessa mesma visão, que precisa estar afiada. Se você e seus funcionários não tiverem a mesma visão de como a empresa será daqui a três anos, será impossível ela acontecer do jeito que você imagina hoje.

MERGULHAR NO FUTURO

Você já viu os atletas de salto em altura pouco antes de uma competição? Da próxima vez que assistir aos Jogos Olímpicos ou ao Campeonato Mundial de Atletismo, veja os praticantes de salto em altura. A maioria fica imóvel antes de começar a correr até a barra. Eles fecham os olhos, muitas vezes balançam a cabeça para cima e para baixo e podem até jogá-la para trás ao concentrar a mente e se verem correndo até a barra e jogando o corpo por cima dela. Depois eles abrem os olhos, encaram a barra e recriam na realidade o que acabaram de visualizar. Eles usam o foco e a visualização para conquistar os resultados desejados e, ao imaginar os obstáculos que podem enfrentar pelo caminho, preparam-se para o desafio em termos mentais e físicos.

É preciso aplicar o foco e as técnicas de visualização usadas por atletas à sua empresa. Se você e seus funcionários não estiverem preparados de todas as formas possíveis para superar os obstáculos que podem enfrentar na conquista de seus objetivos, terão dificuldade para conquistá-los.

Conheci esse processo de visualização durante um almoço da Young Entrepreneurs' Organization (agora chamada Entrepreneurs' Organization ou EO), em 1998. Na época, eu pensei nesse processo como uma forma de mergulhar no futuro. Desde então, ouvi outros empreendedores descreverem a visualização da mesma forma. Obviamente, pensar no processo desse jeito faz sentido para outras pessoas.

Desde aquele almoço marcante, tive a oportunidade de conhecer melhor o processo de visualização com um psicólogo esportivo e técnico de atletas olímpicos. Fiz pequenos ajustes na técnica por meio da prática e tive imenso sucesso usando o processo de visualização em várias situações de negócios.

As pessoas reagem a um desafio, e a visão vívida oferece exatamente isso. Quando os funcionários veem como será a empresa em três anos, ganham mais clareza em relação ao que podem fazer para se envolver e acrescentar valor a ela.

Geralmente consideramos o trabalho recompensador quando sentimos que estamos contribuindo para uma visão comum. A visão vívida permite que todos na empresa sintam que fazem parte de um plano maior e podem ver com a mesma clareza o que todos os outros funcionários da empresa estão vendo, inclusive o CEO. Todos sentem que estão no mesmo ritmo porque realmente estão.

Após mergulhar no futuro e ter a visão clara do sucesso, a probabilidade de conquistar o objetivo desejado fica muito maior. Por isso, é essencial que você se concentre, desenvolva sua visão e comunique aos funcionários, fornecedores, acionistas e clientes como a empresa vai estar em cada etapa do crescimento. Não estou falando de divulgar uma lista de tarefas, um plano de cinco anos ou uma declaração de visão. Declarações de visão geralmente são escritas reunindo um grupo de pessoas em uma sala e juntando as palavras que melhor descrevem a empresa. Depois, eles criam uma visão ou declaração de missão para a empresa em uma frase com a qual ninguém se importa ou nunca mais lê.

A visão vívida é muito mais do que isso. Ela surge quando o empreendedor, fundador, CEO ou outro título definido por você coloca um pé no presente e o outro no futuro, no território do que poderia acontecer.

Considero três anos o melhor período para criar uma visão vívida, por ser curto o bastante para ser visto como realista e possível, e longo o suficiente para permitir que você coloque em prática ideias inovadoras e de expansão. Assim, os funcionários poderão incorporar esse modelo aos objetivos diários e gerais enquanto lutam com empolgação pela imagem de futuro ainda mais bem-sucedido que você mostrou a eles.

No final do processo, a visão vívida será um documento de três a quatro páginas que descreve a sua visão de como a empresa será em três anos, com o dobro do tamanho atual. Isso pode parecer algo fácil de produzir, mas não é.

COMO CRIAR A VISÃO VÍVIDA

A primeira etapa para criar uma visão vívida é pensar em determinadas perguntas. O que você vê quando imagina o futuro? Não se preocupe em saber como vai criá-lo: concentre-se em descrever o que você vê ao longo dos próximos três anos. Um exercício útil é imaginar que está filmando todos os aspectos da empresa: o seu relacionamento com funcionários, clientes, fornecedores e por aí vai. Passe este filme em sua mente. Como são os detalhes e o quadro geral daqui a três anos?

Para responder às perguntas da visão vívida, será necessário afastar a mente das preocupações diárias de administrar uma empresa e se permitir a liberdade e a concentração para visualizar o futuro como atletas olímpicos visualizam o próprio desempenho.

Veja algumas etapas que vão colocar você no caminho certo. Embora a visão vívida tenha apenas três ou quatro páginas, essas serão algumas das páginas mais importantes que você vai escrever na vida.

Saia do escritório

Ao criar a visão vívida para sua empresa, é preciso sair do escritório. Se você tentar trabalhar dentro da empresa, seja em sua mesa ou na sala de reuniões, existe uma grande probabilidade de ser arrastado pela rotina diária, impedindo a mente de pensar sobre o futuro. Quando você trabalha no escritório habitual, limita o pensamento com restrições específicas, e essa é a antítese do exercício. Esqueça as métricas atuais, as tarefas e obrigações diárias e a questão iminente de *como* você vai fazer isso. Apenas deixe a mente devanear.

A melhor forma que encontrei para começar uma visão vívida é estar na natureza: sentar à beira da praia, ir para uma floresta, encontrar um lugar nas montanhas ou até deitar em uma rede no jardim. Desenho e escrevo, como fiz ao elaborar a visão vívida para a empresa que criei a fim de ajudar empreendedores a transformar seus sonhos em realidade.

Desligue o computador

Não use um computador para fazer o rascunho inicial da visão vívida para sua empresa. Se você fizer isso, poderá ser sugado pelo turbilhão de e-mails e tarefas diárias. Prefira papel e caneta. Existe um pouco de magia em escrever tudo à mão no começo. Usei um bloco de anotações sem pauta. Inicialmente foi difícil pensar de modo abstrato porque eu uso muito o lado esquerdo do cérebro, mas virei o bloco de lado para ficar no modo paisagem e escrevi minhas ideias de como a empresa estará em três anos.

Pense ONDE em vez de COMO

Olhe para a estrada diante de você. Não pense em como você vai colocar a visão em prática. Quando fui diretor de operações da 1-800-GOT-JUNK?, não participei da criação da visão vívida porque era a pessoa do *como*. Já o fundador da empresa, Brian Scudamore, era a pessoa do *onde*: ele olhava para a estrada e via para onde desejava levar a empresa. Se eu estivesse envolvido no processo de criar da visão para a empresa, teria atrapalhado porque pensaria constantemente nas formas de colocá-la em prática. Agora eu sei como não atrapalhar o progresso e parar de perguntar *como* o tempo todo.

Gosto de usar uma técnica chamada mapeamento mental, que não é exatamente uma escrita formal, e sim jogar pensamentos no papel para detalhá-los depois. O mapeamento mental permite que você faça um brainstorm sem ter que fornecer explicações ou estratégias para conquistar o objetivo desejado.

Saia da zona de conforto

Acho um pouco difícil ser criativo, mas não impossível. Criar a visão vívida exige abandonar a zona de conforto, e eu recomendo muito fazer isso. Para garantir que você está sendo criativo, pense em coisas loucas, talvez algo ousado demais para dizer em uma reunião ou considerar seriamente. Esta é uma boa regra de ouro para liberar a criatividade: se o que você pensar em uma dessas sessões parecer bizarro ou improvável, você definitivamente precisa incluir na visão vívida.

LISTA DE VERIFICAÇÃO DA VISÃO VÍVIDA

Finja que você entrou em uma máquina do tempo e viajou para o futuro. A data é 31 de dezembro, daqui a três anos. Você está andando pelo escritório da sua empresa com uma prancheta nas mãos.

- O que você vê?
- O que você ouve?
- O que seus clientes dizem?
- O que os meios de comunicação escreveram a seu respeito?
- Que tipo de comentários seus funcionários estão fazendo no bebedouro?
- O que falam de você em sua comunidade?
- Como é o seu marketing? Você está vendendo seus produtos e serviços no mundo inteiro agora? Está lançando novos anúncios na internet e na TV?
- Como a empresa está funcionando no dia a dia? Está organizada e funcionando como um relógio?
- Que tipo de tarefas você faz todos os dias? Você está concentrado em criar estratégias, equipes, fomentar o relacionamento com os clientes etc.?
- O que revelam as finanças da empresa?
- Qual é a sua fonte de financiamento agora?
- Quais são seus valores básicos que estão sendo aplicados pelos seus funcionários?

Inclua todas as áreas da empresa: cultura, recursos humanos, marketing, relações públicas, vendas, TI, operações, financeira, produção, comunicação, atendimento ao cliente, engenharia, valores, engajamento dos funcionários, equilíbrio entre vida e trabalho etc. Aborde também as interações que você terá com acionistas. Lembre-se: você está imaginando esses aspectos da empresa depois que ela dobrou de tamanho.

Depois de passar todas as ideias da cabeça para o papel, consegui escrever uma descrição de três páginas a partir do que gerei pelo mapeamento mental. Organizei as descrições por área.

A sua visão vívida deve ser um documento escrito de aproximadamente três páginas que descreva em detalhes como os executivos de mais alto escalão da empresa imaginam que ela será em três anos, sem detalhar a forma de colocar os elementos dessa visão em prática. Ela descreve o futuro, não como você vai chegar lá.

PROCURE AJUDA

Ao terminar a visão vívida, compartilhe-a com funcionários, fornecedores, banqueiros e advogados. Você começará a ver as pessoas se alinharem aos seus objetivos e a imagem vai se transformar em realidade.

O processo é incrivelmente benéfico para seus funcionários, que vão usar a visão vívida para entender o papel deles de forma mais ampla. Eu até vi áreas de negócios dentro de uma empresa criarem a própria visão vívida que se encaixavam na visão geral. No fim das contas, dividir a visão vívida com as pessoas da empresa vai levá-las a tomar decisões de acordo com o seu projeto de modo subconsciente. Depois, as pessoas de fora da empresa a quem você mostrar a visão vívida também vão ajudar a colocá-la em prática ao ver os funcionários empolgados pela clareza do texto.

MANTENHA A VISÃO DE TRÊS ANOS

O principal motivo para usar três anos como marca é que períodos mais longos tendem a ser grandes demais. Pense da seguinte forma: para criar a visão vívida é preciso manter um pé firmemente plantado no presente enquanto o outro tenta pisar no solo arenoso do futuro. Se você for muito além dos três anos, vai perder o equilíbrio e cair. Portanto, concentre-se nos três anos e escreva o que você vê. Quando faltarem seis meses para o fim do período de três anos, comece a criar a próxima visão vívida.

CONSULTE A VISÃO VÍVIDA COM FREQUÊNCIA

Ao longo do tempo, a tomada de decisão da empresa vai se alinhar à visão vívida. Recomendo fazer que todos os funcionários e fornecedores releiam a visão vívida ao longo do ano. Um momento perfeito para isso é no início do planejamento do trimestre. Nessas reuniões, eu achei útil fazer todos lerem a visão vívida em silêncio e circular as palavras ou frases com as quais se identificassem.

Depois, ande pela sala e peça a cada pessoa para ler em voz alta o que circulou. Esse exercício alinha toda a equipe antes do processo de *brainstorming* e é uma ferramenta útil para ajudar você a planejar e priorizar os projetos futuros. Na associação mundial especializada em comunicação e gerenciamento de eventos com sede em Genebra chamada MCI, cuja visão vívida eu mostro a seguir, os funcionários leem uma parte da visão da empresa antes de qualquer reunião com três ou mais pessoas. Eles são obcecados por manter o foco na visão para que todas as decisões e discussões se alinhem a ela.

Depois de se comprometer a escrever sua visão para o futuro e definir o quadro geral, você estará bem equipado para fazer a engenharia reversa do sucesso.

OS CINCO OBJETIVOS ANUAIS

Conforme discutido anteriormente a visão vívida é a primeira e mais importante etapa para desenvolver o foco da sua empresa. Garantir que você, como empreendedor, releia a própria visão vívida todo mês vai levar você e os outros ao redor a se concentrar para transformá-la em realidade. Garantir que seus funcionários, clientes e fornecedores a releiam pelo menos a cada três meses terá o mesmo resultado. Contudo, o processo não acaba aí: a visão sem execução é uma alucinação. Tenho quase certeza de que foi Thomas Edison o primeiro a dizer essas palavras, e eu as sigo à risca. Por mais importante que seja a visão vívida, precisamos descobrir como transformá-la em realidade. E tudo começa definindo objetivos para chegar lá.

Pense que a visão vívida vai se desenrolar ao longo de três anos, significando que aproximadamente 33% dela vai se realizar no terceiro ano, 33% no segundo ano e 24% no primeiro ano. Usando essas informações, você poderá decidir com quais objetivos precisa se preocupar para terminar bem o primeiro ano.

A próxima etapa consiste em identificar os cinco objetivos anuais que você precisa conquistar para transformar a visão vívida em realidade. No trabalho como coach de empreendedores, peço a todos para definir um objetivo mensurável em algumas áreas. E por mensurável digo que o objetivo escrito para cada área precisa ter um símbolo de dólar ($) e um de número (Nº) ou porcentagem (%). Do contrário, o objetivo não foi bem pensado, e objetivos nebulosos produzem resultados idem.

Também tenho uma mentalidade singular para definir objetivos que me faz ter mais sucesso do que a maioria dos empreendedores: primeiro eu defino os objetivos e depois descubro como transformá-los em realidade. A maioria das pessoas apenas prevê onde vai parar. Decido onde vou parar e depois crio o plano que vai me levar até lá.

Os cinco objetivos que você precisa definir são:

- Receita
- Lucro
- Engajamento dos clientes
- Engajamento dos funcionários
- Impulso estratégico

Quando os definir, pense nas seguintes informações:

Receita: como você deseja ver a sua receita em três anos? Trabalhe de trás para a frente para chegar lá. Digamos que hoje a sua receita seja de 1 milhão, e em três anos você deseja que ela chegue aos 5 milhões. Se você trabalhar de trás para a frente, verá que no segundo ano precisará de 3 milhões e no primeiro ano de 2 milhões.

Lucro: do mesmo modo que a receita, comece pensando no fim. Quanto dinheiro você quer ganhar em três anos? Considerando esse valor, quanto dinheiro você quer ganhar em dois anos? Em um ano? Esse número do lucro no primeiro ano será o objetivo para o próximo ano.

Está vendo aonde queremos chegar? Pensar três anos à frente e fazer a engenharia reversa nos objetivos cria o quadro geral que você está buscando. Após ter estabelecido todos os objetivos, você poderá definir quais projetos precisará terminar para conquistar esses objetivos.

Engajamento dos clientes: esse é fácil, pois só um número importa: o Índice de Promoção de Rede (NPS, na sigla em inglês). A realidade é que a maioria das empresas não sabe medir a satisfação do cliente, e quando faz isso, usa o número errado (como um índice de zero a dez). O número que eu uso se baseia no método a seguir:

Calcule o NPS usando a resposta dos seus clientes à pergunta: "Em uma escala de zero a dez, qual a probabilidade de você recomendar [nome da empresa] para um amigo ou colega?" Essa é a pergunta do índice de promoção de rede ou pergunta da recomendação.

As respostas são agrupadas da seguinte forma:

- *Promotores* (notas de nove a dez) são os entusiastas leais, que vão continuar comprando e recomendar para outras pessoas, alimentando o crescimento.
- *Passivos* (notas de sete a oito) são os clientes satisfeitos, mas não entusiastas, que estão vulneráveis a ofertas competitivas.
- *Detratores* (notas de zero a seis) são os clientes insatisfeitos, que podem prejudicar sua marca e impedir o crescimento por meio do boca a boca negativo.

Subtrair a porcentagem de detratores da porcentagem de promotores gera o NPS, que pode variar do mínimo de –100 (se todos os clientes forem detratores) ao máximo de 100 (se todos os clientes forem promotores).

Eu me esforço para que meus clientes fiquem entre 50 e 80% de NPS. Não é fácil, mas, quando você conhece a situação atual fazendo uma pesquisa rápida, poderá definir aonde quer chegar neste ano.

Engajamento dos funcionários: um objetivo de importância crucial que muitas vezes fica em segundo plano. Quanto mais felizes estiverem os funcionários, mais felizes serão os clientes e maior será o lucro da empresa. Uso o mesmo cálculo do NPS para avaliar o engajamento do cliente, alterando a pergunta:

"Qual a probabilidade de você recomendar [nome da empresa] a um amigo ou colega como um bom lugar para trabalhar?"

Impulso estratégico: um objetivo que pode ser difícil de elaborar. É um novo embalo que você está dando à empresa. Por exemplo, atualmente estou trabalhando a fim de conseguir os primeiros cinquenta integrantes para o grupo de *mastermind* que mencionei anteriormente, a COO Alliance. O objetivo é ter cinquenta integrantes até 31 de dezembro. Ano passado o objetivo foi publicar três livros novos na Amazon. Os dois objetivos avançaram a minha marca e criaram novos canais de receita. Ambos são estratégicos por natureza e estão fora da minha área de foco principal. Há alguns anos, quando ajudei a construir a 1-800-GOT-JUNK?, um dos nossos objetivos anuais de impulso estratégico era ter presença nas trinta principais áreas metropolitanas dos EUA até 2003. Nós nos esforçamos muito para conquistar esse objetivo, pois sabíamos que, após entrar em todos os principais mercados, seria difícil para um concorrente ganhar impulso. Com trabalho árduo e foco, conseguimos ocupar as trinta regiões. No dia 17 de dezembro de 2003, assinamos com a trigésima cidade: Madison, em Wisconsin.

Ter muita clareza em relação a esses objetivos anuais é essencial para todo empreendedor. Lembre-se: não é importante saber como esses objetivos serão conquistados agora, pois isso será resolvido depois. No começo, você quer estabelecer os objetivos e dividi-los com sua equipe e um parceiro de responsabilização. Quando defino os objetivos anuais para essas cinco áreas, primeiro penso em qual será o objetivo para cada área em três anos, dois anos e depois um ano a partir de agora. Eu trabalho de trás para a frente, partindo de onde quero estar em vez de prever a partir de onde estou agora.

Após definir os objetivos anuais com base na visão vívida, você planejará cada objetivo para o ano atual e para cada trimestre. Você pode usar o seu processo e ter excelentes resultados, mas vou ensinar um esboço básico do meu método.

Desenvolva um plano no qual você identifique dez projetos que vão ajudar a cumprir os cinco objetivos anuais. Planeje o seu trabalho e trabalhe no seu plano. Comece pelo mais simples. Eu procuro os projetos mais fáceis de executar a fim de progredir com a empresa e gerar embalo.

Por exemplo, passei bastante tempo procurando divulgação grátis porque vale muito a pena. Procuro fazer o máximo de entrevistas possível para os meios de comunicação, pois elas geram embalo, receita, lucratividade, criando engajamento sem que eu gaste um centavo e investindo pouquíssimo tempo.

Muitas vezes os empreendedores se concentram em projetos que vão conquistar os objetivos, mas que são mais complexos do que o necessário. Recomendo fortemente que você comece pelos projetos fáceis de executar e baratos, pois o embalo gera mais embalo. Em geral, é possível se aproximar e até conquistar os objetivos fazendo apenas isso. Além do mais, a energia criada ao iniciar e terminar projetos costuma gerar mais embalo e resultados do que tentar terminar um projeto imenso e complicadíssimo.

Eu também limito os projetos a dez por ano. A realidade é que você provavelmente vai fazer mais; porém, ao se concentrar nesses dez, vai terminá-los e poderá aumentar a lista depois. Manter o foco é crucial. Se você começar com uma lista de vinte projetos, poderá ficar sobrecarregado, distraído e acabar fazendo menos no geral. Nesse caso, é melhor ir devagar.

Continue a dividir os projetos e objetivos em partes menores, que serão realizadas na ordem mais lógica para serem terminadas o mais rápido possível. Por exemplo, um objetivo anual se transforma em quatro objetivos trimestrais menores, e os objetivos trimestrais se dividem em três objetivos mensais menores. A cada semana, quando você olhar para os projetos estratégicos para o mês e o trimestre, decidirá as cinco tarefas, em ordem de impacto, que precisam ser feitas para avançá-los ou terminá-los. Comece pelos itens maiores e depois lide com o resto do trabalho. O simples ato de se comprometer com as três ou cinco principais tarefas a fazer por dia vai ajudar você a conquistar os objetivos trimestrais e anuais.

COMO IMPLEMENTAR A VISÃO VÍVIDA

Implementação interna

Quando os outros lerem a sua visão vívida, devem ter um momento de admiração e espanto. Se o queixo deles não cair, talvez você não esteja pensando grande o suficiente. Planos pequenos e cautelosos não inspiram ações extraordinárias. Imagine como ficou o recinto quando Elon Musk anunciou o desejo que o Modelo S fosse de zero a 100 quilômetros por hora em 2,8 segundos, algo que ele chamou de "modo ridículo". Alguém deve ter pensado: "Cara, você está maluco."

Saia da zona de conforto. Se você não sentir um friozinho na barriga, ninguém mais vai sentir. É fundamental que os outros compartilhem o seu entusiasmo. No fim das contas, é por isso que você está criando a visão vívida. Não é questão de sentir um quentinho no coração com o seu quadro de visualização pessoal que ninguém mais entende. Você vai explicar essa visão para o mundo, então seja ousado.

Durante a implementação, é importante explicar às pessoas que algumas partes do documento vão acontecer antes de outras e certos pontos serão colocados em prática no final dos três anos. Afinal, eles podem exigir algo que ainda nem existe! Talvez você precise de tecnologias que serão inventadas, atualizadas ou ficarão mais acessíveis ao longo do caminho. É uma visão que vai ser construída da base até o teto, erguendo as paredes e aumentando os andares, exatamente como uma casa dos sonhos.

Se você não lembrar às pessoas que, para avançar três anos no futuro, é preciso conquistar determinados objetivos no primeiro e no segundo ano, elas provavelmente vão descartar suas ideias e supor que você enlouqueceu. É quase como explicar a um adolescente de 13 anos como é a vida aos 16.

Ele ou ela nem consegue visualizar isso, pois parece muito distante e o seu mundo terá mudado imensamente nesse período.

Divulgue-a para todos na empresa

Comece pela implementação interna. Compartilhe a visão vívida com os integrantes do conselho diretor e todos os que estão dentro dos muros da empresa. É importante começar internamente para garantir que a equipe entenda e se empolgue com o futuro da empresa antes de você apresentá-lo ao mundo exterior.

Todos na empresa precisam ver, sentir e respirar essa visão, porque essas pessoas são pontos de contato com o mundo exterior. Você não gostaria de ver um fornecedor se empolgar em relação a ela e ligar para um funcionário que não faz ideia do que a pessoa está falando. Ela precisa ser totalmente entendida e aceita dentro da empresa em primeiro lugar, deixando a implementação externa para o próximo trimestre.

Faça a implementação pessoalmente com sua equipe. Tente colocar todos no mesmo local. É claro que isso vai depender do tamanho da empresa. Se for um grupo de trinta pessoas, você poderá fazer o processo com todos ao mesmo tempo. Se for uma empresa de quinhentas pessoas, provavelmente vai segmentar por departamento e modificar a implementação descrita a seguir. Se for uma organização de vinte mil pessoas, você terá que ser criativo!

Comece com uma cópia física da visão vívida. Peça para o grupo todo ler em voz alta, cada pessoa lendo uma parte até o documento acabar.

Durante essa leitura, a função do CEO é medir a reação das pessoas no recinto. Quem está envolvido, empolgado, investido? Quem não está? O segundo grupo deve acender o sinal de alerta para você. Eles podem não servir bem para a empresa ou talvez não tenham entendido a visão. Descobrir isso será a sua nova missão.

Depois que o grupo tiver lido as páginas, peça para eles circularem as frases que acharam mais empolgantes e inspiradoras e mostrarem o resultado ao grupo.

Não se trata de um fórum de discussão ou debates. Essa atividade existe para que os funcionários entendam aonde o CEO deseja levar a empresa. Em reuniões posteriores, haverá oportunidades para discutir como as afirmações serão feitas na prática, mas nesse momento o material precisa ser assimilado e representar uma fonte de contemplação e inspiração. Você quer que as pessoas pensem: *e se isso acontecesse?*, ficando envolvidas e alinhadas com a visão vívida.

Lembre-se de que a jornada vai durar três anos. A cada trimestre você vai explicar e ler novamente a visão vívida. Abra o texto no Word e marque em cinza as partes que já aconteceram. Depois, marque em amarelo as partes em que você está trabalhando atualmente. Permita que todos vejam o futuro tomando forma.

Em seguida, dê uma olhada em cada frase e decida quais projetos precisam ser abordados e as ações necessárias para terminá-los. Além de determinar como será o próximo trimestre, você poderá traçar um mapa, usando essas frases como orientação. Esse exercício vai deixar todos na empresa no mesmo ritmo e alinhamento, reafirmando a inspiração e ajudando a manter o foco. Também vai permitir que todos saibam o que precisa ser feito hoje para conquistar os objetivos grandiosos que vocês estão buscando como grupo.

Após a implementação interna, sugiro esperar um trimestre para apresentá-la ao mundo exterior. A implementação externa vai fornecer o documento a possíveis funcionários, clientes, fornecedores atuais e potenciais, banqueiros, advogados e os meios de comunicação, é claro.

Os funcionários em potencial vão ler a visão vívida e se empolgar para fazer uma entrevista de emprego ou vão saber logo de cara que esse não é o tipo de empresa na qual gostariam de trabalhar.

Os fornecedores vão se empolgar para trabalhar com sua empresa, e talvez você até consiga preços melhores porque eles sabem para onde a empresa vai. Quando os fornecedores tiverem o mesmo entusiasmo que você, os resultados começam a acontecer.

Já vi banqueiros financiarem uma operação com base na visão vívida porque eles entenderam o que a empresa faz. Mostrar os balanços financeiros ou fazer uma reunião com o CEO nem sempre dá uma imagem clara.

Também já vi clientes assinarem contratos porque ficaram muito empolgados com o futuro da empresa. Eles apostaram no futuro da organização em vez do estado atual.

Você tem vantagens ao compartilhar o plano com os meios de comunicação. O seu desejo é que eles contem a história do seu futuro em vez de como a empresa está hoje. Quando os meios de comunicação começarem a falar de como a empresa estará daqui a três anos, as pessoas prestam atenção.

Todos querem dar uma olhada no futuro, e por um bom motivo. Qualquer interação de um cliente com uma empresa provavelmente gera um relacionamento que vai durar um ano ou mais. Mesmo que seja algo tão simples como a garantia do fabricante, o cliente quer saber se vai continuar funcionando daqui a um ano.

Veja um exemplo concreto. Digamos que você vá alugar um apartamento e, ao entrar na unidade modelo, vê que o chão está sujo, as paredes precisam de pintura e a iluminação é ruim. Você não vai querer alugar nada lá, certo? Mas e se o proprietário dissesse: "Vou colocar o piso novo amanhã, pintar na semana que vem e trocar todas as luzes. Vamos ver o apartamento ao lado, que foi reformado semana passada"? Você se sentiria de outra forma, porque teve um vislumbre do futuro. Esse é o objetivo de partilhar a visão vívida com o mundo exterior: fazer os outros enxergarem o mesmo que você.

Se você ousar o bastante em suas ideias, a visão vívida terá dois efeitos: atrair algumas pessoas e afastar outras. Observe que ela vai fazer ambos ao mesmo tempo. A visão vívida deve se comportar como um ímã, atraindo algumas pessoas e afastando outras (não muitas, espero). Se o seu escopo for pequeno, medroso e diluído demais e todos gostarem dele, ninguém vai amá-lo. Se isso acontecer, você terá fracassado.

Seja revolucionário, não evolucionário

Você lembra quando a Apple lançou o iPhone? As pessoas acharam que a empresa tinha enlouquecido porque o aparelho não tinha teclado. *Como é que alguém pode lançar um smartphone sem teclado? Que absurdo.*

Contudo, algumas pessoas amaram. Não só amaram como amaram muito e se definiram como clientes leais e dedicados da Apple. Essas pessoas enfrentavam longas filas nos lançamentos de produtos junto com outros consumidores que pensavam da mesma forma.

Enquanto isso, os que odiaram o iPhone só puderam observar o efeito que o dispositivo teve no restante da indústria. Outras empresas tentaram copiar o design e competir no mercado que a Apple havia conquistado. Essas empresas perceberam que os teclados seriam tão obsoletos quanto os videocassetes e acabaram forçadas a se converter, seja por vontade própria ou reclamando e esperneando muito.

Se a Apple tivesse tentado agradar a todos quando projetou o celular revolucionário, teria feito uma versão mais elaborada do Blackberry que já existia. Busque uma visão ousada como essa se quiser inspirar as pessoas e prepare-se para os ataques que virão. Afinal, o futuro é assustador para quem ficou confortável demais no presente.

Os 15%

Uma vez trabalhei com um cliente para divulgar a visão dele dentro da empresa. O CEO disse: "Aproximadamente 15% de vocês vão odiar o que estão prestes a ouvir. Vocês não vão gostar do que o futuro lhes reserva, mas tudo bem. Provavelmente é a hora certa para pedir demissão."

Como era de esperar, aproximadamente 15% dos funcionários realmente se demitiram. Dois anos depois, a empresa foi considerada a segunda melhor para se trabalhar na Colúmbia Britânica. (Aliás, a primeira empresa da lista era outra cliente minha, que também inspirou todos com uma visão vívida ousada.)

Não há problema em perder quem não entendeu a sua visão. Você não quer esse tipo de pessoa, para começo de conversa. É melhor saber logo de cara que elas não se alinham aos seus planos do que tentar estimulá-las por dois anos, gerando grandes frustrações.

O mesmo vale para os funcionários em potencial, que vão ler o seu documento e pensar: *Uau, claro que eu quero fazer entrevista para trabalhar aqui* ou *Nossa, não quero nem chegar perto desse lugar.* Assim você não perde tempo entrevistando essas pessoas, nem dinheiro ao contratá-las e treiná-las. No fim das contas, quando todos conseguem ver para onde você está indo, você economiza tempo e dinheiro.

Uma última questão sobre esse assunto. A visão vívida é como os Dez Mandamentos, no sentido de ser uma verdade absoluta. Ela só deve ser mudada caso aconteça uma transformação imensa e inesperada no mercado, se a empresa der uma guinada de noventa graus, se houver uma crise financeira global que vire o seu mundo de cabeça para baixo ou se o seu prédio desabar.

Do contrário, você é um navio cruzando o oceano: desviando de icebergs quando necessário, mas indo sempre na mesma direção. Não se preocupe se algumas frases ficarem irrelevantes pelo caminho. Esse documento é um farol cuja luz guia a sua tripulação com segurança.

IMPLEMENTAÇÃO EXTERNA

Destinatários

A implementação externa faz todos entenderem para onde a empresa está indo, por que isso é empolgante e por que a perspectiva deles em relação à empresa deverá se basear na situação dela em três anos em vez de hoje em dia.

Assim como acontece com a implementação interna com sua equipe, é fundamental acalmar quem considera a ideia uma loucura. Lembre a eles que alguns conceitos ainda vão levar um ano para serem aplicados e que, quando as peças iniciais estiverem no lugar, os componentes finais não vão parecer tão absurdos.

Apresente a visão vívida dizendo: "É assim que nossa empresa será no futuro próximo. Todos nós reconhecemos que ela não está assim hoje, mas agora nós vamos olhar três anos à frente e descrever como ela será." Essa implementação deverá acontecer simultaneamente.

Depois que todos na empresa entenderem totalmente a visão vívida e estiverem lutando por ela, você poderá divulgá-la para o resto do mundo. Use e-mails em massa, publique no site da empresa, em boletins informativos, dê entrevistas coletivas, use a assessoria de imprensa para vender a pauta a jornalistas, distribua panfletos, use megafones, pare as pessoas na rua... Ok, talvez haja um limite para o quanto você vai divulgar a mensagem, mas definitivamente espalhe a palavra.

É fundamental continuar enviando a visão vívida para as pessoas. Todos os que sejam relevantes para sua empresa de alguma forma precisam ver o que você está construindo, para onde vai e como será o caminho. Esses agentes externos têm um papel em sua visão, pois vão contribuir e conspirar para transformá-la em realidade.

Não faz sentido fazer planos para o futuro se você não sabe o que o futuro lhe reserva. E, como você deseja que os outros incluam a sua empresa nos planos deles para o futuro, é imprescindível lembrar a eles como será o seu futuro. Se você estiver se orientando na floresta, precisará consultar um mapa a fim de saber onde está e para onde pretende ir. O mesmo vale para a visão vívida: ela é um mapa do futuro que você e os outros podem seguir.

Possíveis motivos para duvidar ou ter medo

Um medo que as pessoas têm durante a implementação externa são os concorrentes. Considerando a natureza extremamente pessoal da visão vívida, existe o temor de que alguém tente roubar suas ideias. No entanto, embora a sensação seja real, ninguém mais tem a capacidade de executar as *suas* ideias.

Lembre-se: você está apenas mostrando o produto final, e eles não fazem ideia de como chegar lá. Você não vai mostrar a ninguém o seu plano de negócios, apenas o seu destino. Além disso, quando você anunciar para onde está indo, terá pesquisado o território. Se outra pessoa tentar colocar a bandeira lá, vai parecer imitação, como se aquela empresa não tivesse visão suficiente para traçar uma rota original.

O outro motivo pelo qual as pessoas ficam nervosas em relação ao processo de revelação é que elas ainda não conhecem um elemento crucial envolvido no processo: o *como*. A fragilidade é o resultado natural de não ter todas as respostas. É difícil entrar em uma sala cheia de pessoas e fazer um anúncio ousado quando você teme que alguém pergunte "Como vocês vão fazer isso?" e ainda não tiver um plano.

De novo, lembre-se de que não é sua função ter essa resposta. A onisciência não é pré-requisito para chefiar uma empresa. *Você tem pessoas para isso.* O jeito de responder à pergunta é que sua equipe, em quem você tem a maior confiança, vai conseguir realizar tudo porque essa é a tarefa que você deu a eles.

Motivos para dividi-la com o mundo

O que acontece como resultado dessa campanha concentrada para dividir sua visão com o mundo é que ela acaba sendo aceita pelo mundo. Às vezes isso acontece de repente: as pessoas acordam e veem o que você queria que elas vissem. Os antolhos caíram e o mundo como você o descreveu aparece diante deles. Agora você converteu os outros ao seu modo de pensar do mesmo jeito que o personagem de Henry Fonda convenceu os outros onze homens do júri no filme *12 homens e uma sentença.*

Essa mudança de perspectiva pode gerar uma reação em cadeia dentro e fora da empresa. Internamente, todos começam a ver e sentir o mesmo que você e conseguem tomar decisões de modo muito mais intuitivo ao entender que eles também viram a visão vívida se transformar em realidade.

Externamente, as pessoas veem que sua empresa funciona de modo unificado e começam a perceber que em três anos vocês realmente terão conquistando o objetivo grandioso, complexo e ousado. Para isso, mostre o futuro da empresa a alguns clientes principais para que eles não ouçam de uma fonte qualquer. Mostre também aos fornecedores para que eles saibam aonde você vai chegar. Pense em quem poderia se beneficiar por ver o quadro geral.

Quando estávamos construindo a 1-800-GOT-JUNK?, nos reunimos com o fornecedor que fazia as caixas azuis para a traseira dos caminhões e mostramos como seria a empresa em três anos. Ele disse: "Que bom que você me avisou. Não estamos nem perto dessa quantidade de caminhões para a América do Norte no ano que vem."

Precisávamos informá-lo do nosso desejo de transformar a visão do futuro. Assim, o fornecedor se planejou para a nossa expansão. Como isso exigia que a necessidade dele mudasse, ele pôde fazer esses planos para ajudar a nossa empresa. Quando você se der conta, todos na cadeia vão se expandir com base nas suas expectativas.

As pessoas não apenas querem trabalhar para empresas de vanguarda: elas querem trabalhar junto com elas. Se você for um cliente e fala em dobrar o crescimento em três anos, os outros vão prestar atenção, pois querem crescer com você. Como resultado, você vai conseguir mais tempo, mais serviços e talvez até uma tarifa melhor. Você vai querer ser tratado como a empresa em que vai se transformar em vez da empresa que é atualmente, então divida a Visão vívida com os seus fornecedores.

Um dançarino, pilotos de acrobacia aérea e empreiteiros

Muitas vezes, fazer os outros verem a sua empresa do mesmo jeito que você é apenas uma questão de perseverança. Um exemplo disso está claro em um vídeo gravado no Sasquatch Music Festival há vários anos. O vídeo viralizou, e eu gosto de mostrá-lo para ilustrar o poder das ideias de uma pessoa. Um cara no festival está dançando sozinho. Não de um jeito triste, porque ele parece feliz. Mas ele dança sozinho.

Uma grande multidão estava naquele gramado. Ainda sozinho, o cara continua a dançar. Depois de algum tempo, outro cara se junta a ele. Os dois dançam. Em seguida, um terceiro cara aparece e começa a dançar também.

Logo depois, as pessoas descem a colina para participar desse pequeno grupo de dançarinos, e então milhares de pessoas dançam imitando o cara que há alguns minutos dançava sozinho. Ocorreu uma guinada e o pensamento de todos mudou de repente.

Você vai adorar trazer as pessoas para o seu lado. Também será desafiado e talvez até ridicularizado ao longo do processo. As pessoas no seu prédio podem duvidar de que a sua visão vívida seja viável. Por isso, é importante continuar lendo o documento em voz alta e dividi-lo com pessoas fora da empresa. Mesmo assim você vai encontrar obstáculos no caminho. A melhor forma de superá-los é fazer com que todos estejam alinhados o máximo possível e seguir em frente como um só grupo.

Pense em pilotos de acrobacia aérea, como a equipe Blue Angels. A uma velocidade impressionante em um céu que não tem sinalização, os pilotos entram e saem de várias formações com destreza, beleza e graça. Como eles fazem isso? Eles estão perfeitamente alinhados.

Se esses pilotos não seguissem as manobras à risca, as colisões seriam inevitáveis. Cada piloto precisa saber não só a própria função, como precisa saber o que os outros estão fazendo. Além disso, ele precisa saber que os outros vão cumprir suas funções perfeitamente. É assim que sua empresa precisa funcionar: tranquilamente e quase por instinto.

A beleza desse tipo de alinhamento certamente aparecerá à medida que você e sua equipe correrem atrás do objetivo grandioso de três anos, mas existem outros momentos nos quais esse tipo de funcionamento intuitivo é necessário para que a empresa dê uma guinada de noventa graus. Colocar as pessoas no mesmo ritmo em uma guinada pode ser tão incômodo quanto dar ré em uma carreta em uma rua de mão única ou pode ser tão tranquilo quanto uma esquadrilha de jatos ziguezagueando no céu. A diferença está no alinhamento.

Está cada vez mais difícil estabelecer e manter o alinhamento no ambiente de trabalho moderno. Um grande motivo para isso é o trabalho fora do escritório. Pode ser difícil alinhar os funcionários remotos. O mesmo vale para freelancers, fornecedores independentes, funcionários temporários ou de meio período e outros integrantes fundamentais que trabalham na empresa em tempo integral. Ainda assim, muitas vezes essas pessoas são cruciais para uma empreitada de negócios bem-sucedida.

Portanto, é importante que elas realmente entendam o quadro geral e a maneira como se encaixam nele. Existe uma analogia excelente de um transeunte que encontra outros três homens trabalhando em uma obra. Ele pergunta a um dos homens:

— O que você está fazendo?

O primeiro do trio responde:

— Estou colocando tijolos.

O transeunte pergunta ao segundo trabalhador:

— O que você está fazendo?

E o segundo homem responde:

— Estou assentando tijolos para construir uma parede.

Agora o transeunte se dirige ao terceiro trabalhador:

— O que você está fazendo?

E o terceiro cara diz:

— Estou assentando estes tijolos para construir a parede de uma catedral gloriosa que será usada para adorar a Deus.

Quem você acha que sente um alinhamento maior de propósito quando sai para trabalhar a cada manhã? Todos executam a mesma função, mas o terceiro entende por que eles estão colocando os tijolos e também a importância do próprio trabalho.

Se você gostaria de tirar a sua visão vívida do papel, mande um e-mail [em inglês] para mim em VividVision@CameronHerold.com e nós podemos recomendar a você a um dos redatores que escreveram as versões finais para todos os nossos clientes.

PERFIL DO EMPREENDEDOR

W. Brett Wilson, dragão emérito (e outros)

A empresa de W. Brett Wilson é a Prairie Merchant Corporation.

PRINCIPAIS CONQUISTAS NOS NEGÓCIOS

- Brett foi um dos fundadores da FirstEnergy Capital Corp., em 1993, atuando como presidente e diretor. A empresa começou com um capital de 2 milhões de dólares e foi avaliada em 300 milhões 15 anos depois, quando 29% dela foi vendido para a Société Général.
- Ele sofreu com o vício em trabalho durante a carreira em bancos de investimentos, mas fez questão de mudar para construir um ótimo relacionamento com os filhos.
- Brett se tornou um líder no Canadá e em todo o mundo no uso da filantropia de modo estratégico para fazer uma empresa crescer. Ele recebeu prêmios pelos esforços na área, incluindo a Ordem do Canadá e a Ordem do Mérito de Saskatchewan.
- Ele teve uma participação muito elogiada nos episódios do reality show ganhador do Prêmio Gemini *Dragons' Den*. O programa bateu recordes de audiência no Canadá e mudou a forma como os canadenses percebem e celebram o empreendedorismo.
- Brett investiu com sucesso em uma vasta gama de bens, desde prédios de escritórios até uma equipe de hóquei de alta performance da NHL,

passando por grandes faixas de terras cultiváveis em Saskatchewan. Ele é um dos principais investidores em uma empresa independente de produção de energia (Maxim Power) e um dos primeiros investidores em empresas bem-sucedidas de óleo e gás no Canadá. Atualmente, Brett é o presidente da Canoe Financial, a empresa de investimentos que mais cresce no Canadá.

ROTINA MATINAL

- Brett começa o dia bebendo um copo de água com suco de limão.
- Ele vê as notícias da noite, as redes sociais e os e-mails.
- Brett se exercita por 15 minutos enquanto assiste ao noticiário.
- Depois, ele passa um tempo com o cachorro e toma café Bulletproof.
- Brett costuma trabalhar de casa por uma hora ou mais de manhã, o que lhe propicia um momento tranquilo para se concentrar em planejar o dia.

Capítulo 8

SEGUNDO PRINCÍPIO PARA ELEVAR O EMPREENDEDOR:

Delegar tudo, exceto a genialidade

> *Como todos os empreendedores sabem, a capacidade de priorizar é fundamental. Você precisa se concentrar nas tarefas mais importantes e cruciais todos os dias e partilhar, delegar, adiar ou pular o resto.*
>
> — Jessica Jackley, cofundadora da Kiva

Por mais extenso que seja, o papel do empreendedor não envolve fazer tudo. Se você estiver fazendo tudo, está sendo terrivelmente ineficiente com o seu tempo e recursos. A melhor forma de cumprir tarefas é delegando tudo, exceto a sua genialidade. Em outras palavras: se houver outros que consigam desempenhar a tarefa, deixe-a para eles. Se não houver, talvez você não esteja pensando o suficiente para encontrar alguém, porque geralmente existe. O empreendedor e CEO da Mogo Financial, Dave Fellet, tem orgulho de ser "o empreendedor preguiçoso". Quando conheci Dave, ele disse que abriu a empresa em uma cidade que ficava a três mil quilômetros de onde morava para não ser sugado pelo dia a dia de gerenciar uma empresa. Ele sabia que, com o escritório tão longe, seria obrigado a contratar pessoas e delegar mais do que se estivesse por perto. Até as distrações pararam, porque ninguém podia aparecer e ver se ele tinha "um minutinho para conversar" sobre os projetos em que a pessoa estava trabalhando.

Pense nas tarefas envolvidas em gerenciar uma casa. Se você é um profissional ocupado, terá projetos suficientes para se preocupar, mas, se também tiver a tarefa de limpar o banheiro, varrer o chão e limpar as janelas, vai desperdiçar um tempo valioso fazendo trabalhos que podem ser repassados para literalmente qualquer pessoa. E, como *podem* ser, *devem* ser. Contrate outra pessoa para fazer as tarefas rotineiras e use o tempo para conquistar o que ninguém mais pode fazer. No fim das contas, é provável que você seja ótimo em poucas áreas da sua empresa. Quanto mais tempo concentrar nessas áreas principais, mais dinheiro vai ganhar. Pense na vida pessoal dessa mesma forma e comece a fazer uma lista de todas as tarefas que você pode contratar alguém para fazer em seu lugar, provavelmente entre 12 e 15 dólares por hora.

Áreas que você pode terceirizar na vida pessoal

- Limpeza da casa
- Lavar roupa
- Passar roupa
- Levar e buscar as roupas na lavanderia
- Tarefas domésticas
- Pequenos reparos em casa
- Limpeza do quintal
- Limpar a casa depois de festas
- Cortar a grama do jardim
- Entregas
- Fazer as compras no mercado
- Cozinhar para a semana
- Levar cartas e encomendas ao correio ou transportadora
- Levar e buscar as crianças na escola ou atividades extraclasse

Como você pode ver, a lista é praticamente infinita.

Comece criando um inventário de atividades de tudo o que você faz como empreendedor. Essa é uma lista que precisa ser atualizada a cada seis ou 12 meses, compilando tudo que você faz no trabalho diário de empreendedor. Imagine se alguém seguisse você o tempo todo com uma câmera de vídeo para gravar todas as suas ações enquanto está gerenciando a empresa. Para mim, isso inclui ler e-mails, marcar reuniões, ir a reuniões, falar com redatores e escritores, marcar voos, reservar hotéis, alugar carros, me preparar para os telefonemas de coaching, criar planilhas, procurar locais e palestrantes para a COO Alliance, entre várias outras tarefas que não têm fim. Você precisa começar a pensar nisso da seguinte forma: tarefas precisam ser feitas, mas não significa que você precise fazer tudo.

Agora, coloque essas ações em uma planilha do Excel. Use uma coluna por tarefa e escreva o máximo de tarefas que você consegue se imaginar fazendo durante um mês ou trimestre normal. Seja sincero. Depois, você vai pegar todo o inventário de atividades e descobrir como lidar com tudo isso sem estar tão envolvido como hoje.

A lista completa deve ter sessenta, setenta ou até oitenta tarefas para o período. Depois de ter jogado todas essas atividades na planilha, comece a categorizá-las para ajudar a se livrar delas. Você também pode acrescentar itens à lista durante o processo, mas tente listar o máximo possível de tarefas antes da categorização. O próximo passo é organizar as atividades na segunda coluna, escrevendo uma destas quatro letras na coluna ao lado de onde você listou as tarefas:

- *I* significa Incompetente: você é terrível nessas tarefas.
- *C* significa Competente: você é razoável nelas.
- *E* significa Excelente: você é excelente nelas, mas não adora fazer essas tarefas.
- *H* significa Habilidade singular: essas tarefas dão ânimo a você, que é realmente bom nelas.

O teste que uso para determinar se algo é uma habilidade singular é se eu faria isso de graça caso meus filhos não tivessem o que comer. Se a resposta for sim, coloque um *H* na segunda coluna da planilha. Minha habilidade singular, por exemplo, é fazer palestras e ser coach de CEOs. Sempre que estou fazendo uma coisa diferente de uma palestra ou sessão de coaching, geralmente estou trabalhando em algo em que posso até ser bom, mas não necessariamente me empolga. Se você puder delegar tudo o que não faz de modo incrível e que não empolga você, estará a caminho do sucesso rápido no empreendedorismo. Se você for cuidadoso para chamar algo de habilidade singular, provavelmente terá apenas duas ou três tarefas marcadas com *H*. O resto estará mais corretamente categorizado como *E* ou *C*.

A terceira coluna envolve colocar um cifrão. Se você fosse pagar alguém para fazer essa tarefa, quanto pagaria por hora? 10 dólares, que seria um trabalho de 20 mil dólares por ano? Ou pagaria 20 dólares por hora, que seria um trabalho de 40 mil por ano? Algumas tarefas na sua lista literalmente não valem a pena do ponto de vista financeiro. Você estaria muito melhor pagando entre 15 e 20 dólares por hora para outra pessoa fazê-las enquanto você recebe de dez a cem vezes mais para trabalhar na sua habilidade singular. Eu aproveito tão bem o meu tempo quando estou fazendo uma palestra ou sendo coach de CEOs que me envolver em qualquer atividade que não sejam essas ou encontrar mais oportunidades para fazê-las significa usar o meu tempo de modo ineficiente. Pense nisso da seguinte forma: você só tem três recursos – pessoas, dinheiro e tempo. O seu trabalho consiste em conseguir o maior retorno em cada um desses, sem desperdiçar nada.

Agora você tem uma coluna que lista todas as suas atividades, uma segunda que lista sua competência em cada atividade e uma terceira que mostra a quantia que você estaria disposto a pagar para alguém fazer a atividade no seu lugar. Você deveria delegar tudo o que fizer parte das categorias incompetente, competente e excelente e que estiver abaixo do seu salário como empreendedor. Pague alguém para fazer essas tarefas, caso contrário você estará contratando um CEO para fazê-las. Assim que possível, tire todas as tarefas em que se considerou incompetente ou competente. Depois, trabalhe para delegar as tarefas excelentes. E pense se você precisa cumprir essas tarefas. Talvez seja melhor que elas estejam na lista de tarefas a serem delegadas em vez da lista de tarefas a cumprir daqui por diante.

O próximo passo foi algo que aprendi com Suzanne Evans, uma das empreendedoras de quem sou coach. A primeira coisa que ela faz de manhã é uma lista com tudo o que precisa ser cumprido naquele dia, depois ela tenta delegar 80% da lista. Suzanne trabalha em apenas 20% da lista para o dia. Procure chegar a esse número delegando responsabilidades. Imagine se logo depois de ter escrito a lista de tarefas diária ou semanal você também decidisse que poderia terceirizar ou delegar 80% das tarefas em vez de fazê-las?

Esse valor de 80% não é coincidência. Todos nós ouvimos falar do Princípio de Pareto, em que 80% dos resultados vêm de 20% do esforço. Sabendo que isso é verdade, por que não se concentrar apenas nas áreas em que você tem uma habilidade singular? Só essa ideia vai ajudar você a obter resultados muito maiores. Os 80% também são uma mentalidade que vai ajudar quando a perfeição não for necessária. Geralmente ficamos empacados pelo perfeccionismo, que pode levar à procrastinação. Se você gasta um tempo precioso tentando escrever o memorando perfeito, o anúncio perfeito ou conseguindo algum tipo de transcendência em uma tarefa fora do reino da sua habilidade singular, precisa parar com isso. Chegue aos 80% e encontre um especialista capaz de aperfeiçoar a partir daí. A maioria das pessoas está muito satisfeita com o resultado de 80%. A maioria não precisa de perfeição. Como empreendedor, mantenha o foco em delegar o máximo que puder, exceto a sua genialidade.

Lembre-se: o seu trabalho é ver o quadro geral. Não se perca nos detalhes. Use os recursos com sabedoria. Tire itens da sua lista de tarefas o mais rápido que puder para concentrar a atenção em outro lugar.

Procure outras áreas da vida em que você esteja pagando salário de CEO para trabalhos que podem ser feitos por um estudante de ensino médio: levar e buscar roupas na lavanderia, ir ao supermercado, fazer comida, limpar a casa e por aí vai. Use o tempo que você economizar para trabalhar em sua habilidade singular, saborear os momentos da vida e recarregar as baterias.

Existem muitos aplicativos e sites que ajudam a delegar tarefas. Sites como Upwork, oDesk, Fiverr e HireMyMom.com, por exemplo, dão um alívio para o empreendedor ocupado. Cada um desses sites oferece tutoriais grátis ou no YouTube para aprender a usá-los da melhor forma. Você pode listar vários projetos individuais que precisam ser feitos e gente do mundo inteiro vai disputar quem cobra o menor preço para fazer esse trabalho.

Você pode usar aplicativos de gerenciamento de projetos, como Basecamp e Asana, que dão as ferramentas para identificar a gerenciar tarefas diárias e projetos de longo prazo. Esses sites têm vídeos fantásticos que ensinam a usá-los e aproveitar o seu tempo.

Os empreendedores costumam ser os piores inimigos de si mesmos. Como geralmente começamos a empresa sem funcionários, muitas vezes exercemos quase todas as funções. Por isso, estamos acostumados a mergulhar de cabeça e fazer tudo. Lembre-se: o empreendedor precisa cumprir tarefas, mas não precisa ser a pessoa que faz tudo.

Nos últimos 15 anos, a nova economia de freelancers na internet se desenvolveu bastante. Você não conseguia encontrar essas pessoas nas Páginas Amarelas ou nos classificados dos jornais. Antes, você precisava contratar funcionários em tempo integral que fossem generalistas, mas agora é possível encontrar especialistas na sua região e no mundo inteiro que estão dispostos a fazer as tarefas da sua lista e são talentosos. Para cada tarefa existe uma pessoa que a faz bem e que adora fazê-la. Minha diarista é um ótimo exemplo: ela ama o trabalho doméstico e é ótima nele: meu armário é tão organizado quanto os das melhores lojas de roupas.

Como já disse, uma das lições mais importantes que aprendi no início da vida de empreendedor é: se você não tiver um assistente, você é o assistente. Muita gente espera para contratar o braço direito, mas na verdade precisamos contratar alguém para fazer boa parte do trabalho secundário da lista. Os assistentes executivos são a maior vantagem que você pode dar a si mesmo no início da sua empresa. Minha assistente executiva, Meredith Kuba, é fantástica. Ela adora me ajudar, e eu não poderia gerenciar minhas empresas hoje ou no futuro sem ela, que tem a capacidade de fazer tudo mais rápido e melhor do que eu. Além disso, ela fica sempre feliz em tirar mais tarefas da minha lista.

Em algum momento, depois de ter contratado um assistente executivo, você vai começar a construir sua equipe, contratar funcionários e encontrar alguém para ser o seu braço direito. Esse é um passo muito grande, porém eficaz. Geralmente é mais caro que a outra equipe a ser contratada, mas, quando você puder delegar e tirar da lista os projetos em que você pode ser excelente mas que não o empolgam, um bom diretor de operações vai entrar em jogo. Essa é a pessoa que vai tirar esses projetos da sua lista.

Você tem apenas três recursos: pessoas, tempo e dinheiro. Gaste cada um deles para obter o maior retorno do seu investimento. Quanto ao tempo, ele deve ser gasto para maximizar o retorno financeiro e a sua felicidade, tornando a sua vida melhor. E o jeito mais rápido de conseguir esses resultados é delegando tudo, exceto a sua genialidade.

PERFIL DO EMPREENDEDOR

Marie Forleo

A empresa de Marie Forleo é a Marie Forleo International.

PRINCIPAIS CONQUISTAS NOS NEGÓCIOS

- Marie foi citada como Líder Pensadora da Próxima Geração pela Oprah.
- A empresa dela foi incluída na lista de *500 Empresas de Crescimento mais rápido* da *Inc. 500* em 2014.
- Marie escreve, produz e apresenta o MarieTV, um dos programas na internet mais influentes para criativos e empreendedores, com mais de 22 milhões de visualizações em 195 países.
- O MarieForleo.com é um dos 100 Melhores Sites para Empreendedores, segundo o Forbes.com.
- Marie acredita firmemente que todas as vendas mudam vidas, pois a cada produto vendido a empresa ajuda uma pessoa carente.

ROTINA MATINAL

- Para a Marie, cada dia é diferente.
- Ela acorda em horários variados dependendo das viagens, do local em que está morando e trabalhando, da agenda de gravações etc. Então,

o que acontece de manhã muda com frequência. Mas alguns hábitos não são negociáveis porque a mantêm produtiva e focada.

- Marie faz pelo menos dez minutos de meditação.
- Depois, toma café ou suco verde.
- Ela precisa se exercitar. Pode ser spinning, ioga, dança ou aulas de ginástica. Os exercícios também não precisam acontecer de manhã. Para Marie, às vezes faz mais sentido se exercitar à noite.
- Outro hábito *noturno* que Marie considera ter mudado tudo para ser uma ótima empreendedora é planejar o dia na noite anterior. Isso deixa a manhã *muito* mais produtiva, prazerosa e sem estresse.

Capítulo 9

TERCEIRO PRINCÍPIO PARA ELEVAR O EMPREENDEDOR:

Yin e *yang:* contratar um diretor de operações para alavancar você

Não contrate um homem que trabalhe por dinheiro, e sim um homem que trabalhe por amor.

— Henry David Thoreau

Criei a COO Alliance (www.COOAlliance.com) porque reconheci a importância e o impacto desse projeto para o CEO. Os empreendedores ganham muito com um grupo dedicado às pessoas que ocupam essa posição crítica de braço direito. Quando você contratar um diretor de operações, ele terá um impacto imensamente poderoso e positivo na sua empresa. COO significa diretor de operações, embora muitas vezes seja o mesmo que gerente-geral ou vice-presidente de operações, com um título mais sênior.

Os empreendedores constroem empresas, mas, em algum momento, precisam de alguém capaz de administrar as operações do dia a dia para eles. Dividir a carga alivia o fardo do CEO para que ele possa se dar ao luxo de conseguir uma boa noite de sono ou de não trabalhar quando estiver doente. O diretor de operações também permite que o CEO concentre a energia nas duas ou três tarefas em que é realmente bom e que tem a habilidade singular de fazer. Os empreendedores são visionários, mas muitas vezes não têm a atenção aos detalhes para cumprir tarefas do jeito certo.

Esse relacionamento fornece uma dinâmica do tipo *yin* e *yang*. É uma forma de equilíbrio singular no núcleo da empresa, uma alma gêmea corporativa para o CEO. Quando fui diretor de operações da 1-800-GOT-JUNK?, defini uma reunião semanal com o CEO para nos deixar em sincronia. Era um encontro não só para ficar ciente do pulso das questões, mas também para construir o relacionamento, a comunicação e a confiança entre você e o diretor de operações. Como empreendedor ou CEO, você precisa entender que essas reuniões são necessárias para o seu braço direito ficar no mesmo ritmo que você. Essas reuniões precisam ser feitas, não importa o que aconteça, pois elas são cruciais. Acima de qualquer outro relacionamento de negócios durante a expansão da empresa, a relação entre o CEO e o diretor de operações é crucial para o crescimento porque essa pessoa muitas vezes vai tirar grandes projetos operacionais e estratégicos da sua lista de tarefas. Áreas inteiras da empresa vão poder se reportar a ele para que você aproveite melhor o seu tempo.

Eu falei sobre esse assunto na COO Alliance e ouvi diversas possibilidades para essas reuniões presenciais. Uma que eu acho particularmente atraente é a ideia de fazer uma corrida matinal. Pegar ar fresco, ver o sol nascer e exercitar o corpo são ótimas formas de evitar as distrações de celulares, e-mails e o jargão profissional. É uma conexão muito humana que permite grandes conversas e cria afinidade. O fundador e ex-CEO da Lululemon Chip Wilson adorava fazer trilhas com o diretor de operações. Steve Jobs também era famoso por associar caminhadas a conversas.

Quando fui diretor de operações da 1-800-GOT-JUNK?, o CEO Brian e eu decidimos treinar juntos para uma meia maratona. Corri duas delas por dois anos seguidos. Durante seis meses, nós corríamos toda terça e quinta-feira às 6h30, e era incrível correr com alguém por 45 a 90 minutos e falar sobre os fatos, sensações, restrições ou motivações. Mesmo se vocês não falarem de trabalho, estarão tendo uma conexão humana com a pessoa mais importante no seu mundo dos negócios.

Essas duas pessoas que estão no coração da empresa precisam se entender além do nível casual e profissional. O seu diretor de operações precisa saber intuitivamente quais problemas levar até você e quais resolver sem precisar de consultoria. Como CEO, você tem muitas tarefas; então, quanto mais o seu braço direito puder tirar obstáculos do caminho, maior será o seu foco nas questões maiores. O diretor de operações precisa ler sua mente *e também* antecipar algo que você não perceba.

Esse nível de confiança não acontece sem um esforço consciente, como ouvi várias vezes na COO Alliance. A maioria dos CEOs não quer lidar com todos os detalhes de um problema: eles querem um resumo e uma solução, mas isso exige um plano de comunicação para filtrar perguntas e saber o que precisa ser visto e quando, o que representa sucesso, que tipo de suporte está disponível, além de estratégias para gerenciar conflitos e princípios de operação estabelecidos para definir as fronteiras do processo decisório do diretor de operações.

Antes de contratar um diretor de operações, é preciso ser honesto em relação às próprias fraquezas e identificar as áreas do trabalho que você não ama fazer para encontrar alguém que tenha pontos fortes nessas áreas e goste desses aspectos do negócio. Li um artigo útil no *Harvard Business Review* chamado "The Misunderstood Role of the COO" [O papel incompreendido do diretor de operações, em tradução livre] que fala exatamente disso. Eles descobriram sete tipos diferentes de diretores de operação: o que olha para fora, o que olha para dentro, concentrado na tecnologia, concentrado em vendas e marketing, concentrado no operacional, concentrado na engenharia e no produto e concentrado no financeiro. São sete tipos totalmente diferentes de diretores de operações; então, quando você diz "Preciso de um braço direito", é meio como dizer: "O quanto a água molha?" Você precisa ser claro em relação às habilidades importantes que não estão no escopo da sua habilidade singular. Depois, encontre o diretor de operações cujas habilidades singulares correspondam ao que você precisa.

Por exemplo, se você for igual a mim e odiar TI e finanças, não deveria lidar com essas áreas. Se você fosse contratar um braço direito para minha empresa, procuraria uma pessoa que amasse essas duas funções. Isso permitiria tirar esses itens da sua lista e delegá-los para quem gosta deles.

Imagine que você não seja uma pessoa muito voltada para os detalhes, então você precisa de alguém que consiga separar o joio do trigo e monitorar as métricas enquanto você toma conta da visão geral. Ou talvez você tenha uma visão bem definida sobre o futuro da empresa, mas é terrível para começar projetos. Nesse caso, encontre um diretor de operações com muita iniciativa, que possa fazer a bola rolar enquanto você se concentra em expandir a empresa.

Dito isso, muitas vezes as pessoas com quem falo e pensam em contratar um braço direito nem têm um assistente executivo. Não coloque o carro na frente dos bois: primeiro contrate o assistente executivo. Depois, você deve ter uns seis meses até precisar de um braço direito. Tenha cuidado quando fizer isso para não dar um título maior que o profissional. A menos que o indivíduo seja realmente um diretor de operações, você vai acabar pagando mais do que deveria e a pessoa vai se considerar mais importante do que realmente é ou pensar que está ocupando o lugar de alguém muito mais sênior.

Pense em começar com um título de gerente-geral, que pode levar a executivo ou vice-presidente de operações. O título de diretor de operações é adequado quando a sua empresa tem por volta de cem funcionários.

Quando você estiver pronto para contratar o braço direito, defina os critérios de avaliação para que você possa olhar daqui a um ano e avaliar o trabalho da pessoa. Nesses critérios, liste as cinco grandes tarefas que o diretor de operações precisaria realizar para validar a contratação. No processo de entrevistas, procure pessoas que já tenham trabalhado no máximo dessas cinco tarefas e sejam proficientes nelas.

Quando estiver contratando um diretor de operações, pense nas quatro categorias do último capítulo: incompetente, competente, excelente (mas não ama fazer) e habilidades singulares que você ama fazer. Minha habilidade singular é dar palestras em eventos e ser coach de empreendedores. Fora disso, tenho muitas tarefas em que sou bom, mas eu realmente amo fazer essas duas.

Se você encontrar um diretor de operações ou braço direito que preencha uma das sete áreas nas quais você gostaria que ele se concentrasse e ele puder assumir as tarefas e projetos nos quais você é excelente, mas não ama fazer, para que você lide apenas com o que adoraria fazer de graça, é o primeiro passo, mas ainda não significa vitória.

Muita gente não percebe que Brian e eu não demos sorte com a 1-800-GOT-JUNK? quando a construímos. Eu já tinha estabelecido duas franqueadoras antes de me juntar ao Brian. Não tivemos sorte porque estivemos em um fórum na Entrepreneurs Organization por três anos antes de eu assumir o cargo de diretor de operações. Eu tinha administrado uma empresa de moeda privada que tinha acabado de ser vendida por 60 milhões de dólares (aproximadamente 260 milhões de reais). Eu trabalhava em uma cadeia de autopeças e ele viu o meu progresso, então me conhecia intuitivamente como líder e tinha me entrevistado por três anos. Ele conhecia as minhas habilidades e sabia que correspondiam aos déficits dele. Além disso, os pontos fortes dele eram os meus pontos fracos. Esse foi o segundo passo: ele tinha certeza da minha capacidade para cumprir as tarefas de que ele precisava.

A próxima área é a confiança. Um mês e meio antes de me tornar o braço direito de Brian, ele foi o padrinho do meu primeiro casamento. Nós éramos grandes amigos. Eu estive com ele durante eventos pessoais difíceis (incluindo o divórcio), que você normalmente só vive em uma amizade muito forte. Nosso relacionamento como CEO e diretor de operações era como um casamento inacreditável. As pessoas escreveram artigos sobre nós por causa dele. Quando você está contratando um braço direito, precisa entrevistar e contratar buscando esse nível de confiança implícita.

É preciso ter uma boa ideia do que se está procurando em primeiro lugar. Em *Alice no País das Maravilhas*, o Gato de Cheshire disse: "Se você não sabe para onde vai, qualquer caminho leva até lá." O primeiro passo para saber o que você busca em um braço direito é olhar para os cinco grandes projetos que a pessoa precisa fazer nos próximos 12 meses. Não o que ela vai fazer, mas o que *precisa conquistar*. Use essa informação para recrutar e entrevistas pessoas que *já fizeram isso antes*. Conforme mencionei, eu já tinha criado a College Pro Painters e a Gerber Auto Collision, além de ter sido coach de franqueadores. Trabalhar na 1-800-GOT-JUNK? foi moleza porque eu já tinha a experiência, pelo menos até chegarmos aos três mil funcionários, aí ela estourou.

Repito: contrate pessoas que já fizeram o que você precisa que elas façam. A lista de critérios de avaliação é a parte mensurável do trabalho. A parte menos concreta é encontrar a sua alma gêmea dos negócios, a pessoa em quem você pode confiar totalmente.

Quando o novo diretor de operações chegar, você dará acesso aos seus números de telefone, contas bancárias e senhas. Se não estiver disposto a fornecer nada disso a essa pessoa, não a contrate.

Para ficar bem claro: você está buscando pessoas com experiência em fazer essas tarefas em vez de alguém meramente qualificado para elas. Se você contratar pessoas com base no que elas podem fazer, tende a conseguir gente que sabe *como* fazer; por outro lado, se contratar pessoas com base na experiência, vai conseguir colaboradores comprovadamente capazes de *fazer* o que você precisa.

Lembre-se: os melhores candidatos não estão procurando emprego, porque já têm um emprego. Na verdade, eles estão felizes e não têm a menor intenção de sair para uma posição inferior. Portanto, será preciso contratar uma agência de busca de executivos para encontrar a pessoa certa. E, se você vai gastar de 200 a 400 mil dólares (de 870 mil a 1,7 milhão de reais, aproximadamente) com um diretor de operações, deverá obrigatoriamente usar uma agência que tenha feito esse tipo de contratação antes. Em outras palavras, você não está publicando um anúncio nos classificados. Você está buscando alguém de alto nível e em geral não tem uma rede suficientemente grande para fazer isso sozinho.

Os melhores atletas mudam de time. Quantos vieram das divisões inferiores ou dos juniores e entraram na primeira divisão? Não muitos, certo? Um, dois, cinco por cento? A maioria vai de um time para outro ou é trocada em negociações entre equipes. O seu jogador principal, o diretor de operações específico que você está buscando para atender às suas necessidades, não está na internet procurando emprego. Na verdade, para qualquer função da sua empresa, os melhores candidatos não estão no mercado. Você precisa procurá-los e cortejá-los de modo estratégico.

A descrição do cargo precisa ser escrita para atrair alguém que se encaixe perfeitamente em você. É preciso que seu candidato ideal leia e diga: "Sim, estou nessa!" Então, se você fala palavrões no trabalho, precisa dizer isso na descrição do cargo de diretor de operações: "Sou um CEO levemente maníaco, que está fazendo isso e aquilo, fala palavrões em excesso e blá-blá-blá." Sabe por quê? Se alguém chegar e disser: "Não gosto de palavrões", a sua resposta pode ser: "Tudo bem, tchau." Eu também não amo falar palavrões, mas, se você vai trabalhar comigo, precisamos ter pelo menos isso em comum, não é? O primeiro rascunho da descrição do cargo deve ser como um bate-papo com o seu melhor amigo. Depois, entregue o texto a uma pessoa de marketing ou redatora, que seja realmente boa. Espere pagar uns mil dólares (aproximadamente 4.500 reais) para um revisor fazer essa descrição se destacar. Precisa ser o melhor anúncio que você já leu na vida.

Por que você contrata um redator para fazer um texto de marketing e sua *landing page*, mas usaria uma descrição de cargo escrita pelo RH? Eles não são especialistas em criar descrições voltadas para uma pessoa específica. Lembre-se: o diretor de operações ideal precisa ler o texto e dizer: "Definitivamente, sim! Eu quero esse cargo!"

Por fim, ao tomar a decisão sobre o diretor de operações, você precisa trazer alguém que vai gerar um efeito cascata na sua empresa e além. Pense nesses candidatos como pedras, e o trabalho deles é chegar ao fundo de um rio. Que tipo de onda essa pessoa vai gerar? A sua função como CEO é procurar o efeito cascata. Se a pedra afundar sem gerar onda alguma, o seu rio vai ficar estagnado. Por outro lado, você também não quer causar um tsunami.

O diretor de operações perfeito para sua empresa tem a ver com a relação que você desenvolve com ele. É preciso desenvolver uma relação forte com o seu diretor de operações (caso eu não tenha deixado isso claro!). Conheça seus desejos, sonhos, paixões, medos, inseguranças e o que ele odeia no trabalho. O vínculo que vocês terão significa que ele vai passar por tudo ao seu lado e você vai fazer o mesmo por ele. Portanto, desenvolver esse nível de confiança exige tempo (e todos os momentos e esforços vão valer a pena). Reserve um tempo na agenda para uma reunião semanal depois que ele for contratado. Eu costumava chamar de encontro noturno entre o CEO e diretor de operações, mas vocês podem tomar café da manhã juntos uma vez por semana e fazer a reunião pessoal nesse momento.

Brian e eu tínhamos uma sala especial na empresa que ninguém conhecia. Era um antigo depósito perto de um elevador de carga, onde deixávamos colchonetes, algumas cadeiras e um quadro branco. Nós entrávamos na sala quando ninguém estava vendo e ficávamos lá por uma hora. Era nossa sala de guerra particular. Tínhamos um vínculo muito forte um espaço pequeno para pensar juntos.

Você contratou o diretor de operações ideal, agendou reuniões regulares e descobriu a sua sala de guerra. E agora? Não se envolva demais no trabalho do seu braço direito. Você tem que deixá-lo agir. Permita que ele falhe ou tenha sucesso e que resolva tudo do jeito dele. Desde que esteja alinhado com a Visão vívida e dentro dos seus valores principais, você precisa dar espaço ao diretor de operações. Se ficar muito em cima, ele vai ficar restrito e todos vão e sentir isso.

Eu sei o que você está pensando: *como vou saber se o diretor de operações está fazendo tudo certo? Como eu avalio o trabalho da equipe?* Você se reúne diretamente com os funcionários, sem o diretor de operações. Toda a sua equipe direta diz o que está fazendo e você se informa sobre o trabalho deles. Você precisa de oportunidade para ouvir as pessoas que se reportam ao diretor de operações. Digamos que você deseje se reunir com os departamentos de vendas e marketing. Mesmo que eles já se reportem ao CEO ou ao diretor de operações, é preciso encontrar um jeito de falar diretamente com essas duas equipes.

É uma operação delicada. Quando o vice-presidente de vendas estiver fora, eu só posso falar com as equipes de vendas e marketing sobre o rumo da empresa ou para obter feedback, mas não posso me envolver. Se a equipe revelar que existe um problema em uma área, preciso ouvir, fazer perguntas e anotações, mas não posso dizer: "Ah, eu gostaria que isso mudasse." Não posso me envolver. Você precisa ter cuidado para não passar por cima da hierarquia e entrar em uma função que não é sua, prejudicando a relação que você trabalhou tanto para construir.

O diretor de operações vai fazer uma diferença imensa na capacidade de manter o foco nos projetos que usam as suas habilidades singulares e que você ama. Em outras palavras: ele vai liberar você para fazer o trabalho mais valioso a fim de expandir a empresa. Faça um esforço no sentido de encontrar a pessoa ideal para a função, trabalhe nessa relação como faz em seu casamento, não interfira no trabalho dela e você vai criar uma equipe imbatível para transformar sua Visão vívida em realidade.

Agora, prepare-se para o sucesso no empreendedorismo fazendo o Desafio de *O Milagre da Manhã* para mudança de vida em trinta dias.

PERFIL DO EMPREENDEDOR

James Altucher

A empresa de James Altucher é a Choose Yourself Media.

PRINCIPAIS CONQUISTAS NOS NEGÓCIOS

- James criou e vendeu a Reset, Inc., uma das primeiras empresas de desenvolvimento de software para sites corporativos dos anos 1990, por 15 milhões de dólares (aproximadamente 65 milhões de reais). A empresa criou os sites originais para AmericanExpress, TimeWarner, Sony, BMG, Miramax, Loud Records, Bad Boy Records, Con Edison, HBO e muito mais.
- Ele escreveu *Escolha você* em 2013. Com mais de seiscentas mil cópias vendidas, o livro entrou repetidamente na lista dos mais vendidos do *Wall Street Journal* e foi o 1º colocado na Amazon em não ficção. E James escreveu mais 17 livros.
- Os episódios do *James Altucher Show* foram baixados mais de vinte milhões de vezes desde a estreia, em janeiro de 2014.
- Ele conseguiu trocar de carreira e se reinventar várias vezes. Foi desenvolvedor de software, teve um programa de TV e abriu muitas empresas. Hoje em dia, ele é palestrante, escritor, administrador de fundos de cobertura, investidor-anjo de sucesso e empreendedor.

- James abriu a Choose Yourself Media em 2015. A empresa foi criada para monetizar uma parte do conteúdo feito por ele. A receita do primeiro ano foi de 16 milhões de dólares (aproximadamente 70 milhões de reais), com renda líquida de 1,5 milhão de dólares (aproximadamente 6,5 milhões de reais).

ROTINA MATINAL

- James acorda às 5h30.
- Ele toma café e lê por duas horas.
- James escreve durante a segunda hora do dia. Ele costuma registrar dez ideias nessas duas horas (para continuar exercitando o "músculo das ideias") e escrever um artigo ou capítulo de livro.
- Em seguida, ele se alimenta. Essa pode ser a principal refeição do dia. Ele vive mudando de ideia se o melhor alimento para consumir de manhã é fruta ou proteína, mas no geral ele evita açúcares processados.
- James faz exercícios ou uma caminhada, tira um cochilo, faz ligações pessoais e profissionais. Se não tiver escrito um artigo, ele não faz ligações, preferindo voltar a ler e escrever.
- Em seguida, ele lê e escreve mais um pouco, o que o leva ao resto do dia.

Capítulo 10

O DESAFIO DE *O MILAGRE DA MANHÃ* PARA MUDANÇA DE VIDA EM TRINTA DIAS

Uma vida extraordinária é uma questão de melhorias diárias e contínuas nas áreas mais importantes.

— Robin Sharma

Vamos brincar de advogado do diabo por um momento. *O Milagre da Manhã* pode mesmo transformar sua vida ou seus negócios em apenas trinta dias? Será que algo pode ter um impacto tão significativo tão rapidamente? Lembre-se de que *O Milagre da Manhã* já fez isso para centenas de pessoas. Se funcionou para elas, pode e vai funcionar para você também.

Incorporar ou mudar qualquer hábito exige um período de aclimatação, então não espere que seja fácil desde o primeiro dia. Contudo, ao se comprometer a seguir em frente, iniciar cada dia com o *Milagre da Manhã* e usar os Salvadores de Vida rapidamente vão se transformar em hábitos e possibilitar todas as outras mudanças. Lembre-se: *conquiste as manhãs e prepare-se para ganhar o dia.*

Os primeiros dias de mudança de hábito parecem insuportáveis, mas são temporários. Embora haja muito debate sobre quanto tempo leva para colocar um novo hábito em prática, as centenas de milhares de pessoas que aprenderam a derrotar o botão soneca e agora acordam cedo todos os dias para fazer seu *Milagre da Manhã* podem confirmar o sucesso dessa estratégia de três fases.

De Insuportável a Imbatível

A estratégia de três fases para colocar qualquer hábito em prática em trinta dias

Ao fazer o Desafio de *O Milagre da Manhã* para mudança de vida em trinta dias, esta é a abordagem mais simples e eficaz para colocar em prática e manter qualquer novo hábito em apenas trinta dias. Ela vai proporcionar a mentalidade e a abordagem que você vai usar ao construir a nova rotina.

PRIMEIRA FASE: INSUPORTÁVEL (1º AO 10º DIA)

Qualquer nova atividade exige o maior esforço consciente no começo, e o mesmo vale para levantar cedo. Na primeira fase, você está lutando contra hábitos matinais que estão entranhados em *quem você é* há vários anos.

Nesta fase, é o poder da mente sobre a matéria. Se você concentrar a mente, vai dominar a matéria! O hábito de apertar o botão soneca e não aproveitar o dia é o mesmo que impede você de se tornar o superastro do empreendedorismo que você sempre soube que pode ser. Então, continue firme e siga em frente.

Ao lutar contra padrões existentes e crenças limitadoras nesta fase, você vai descobrir quem realmente é o que pode fazer. É preciso se esforçar, manter o compromisso com sua visão e continuar firme. Acredite em mim quando digo que você consegue!

Eu sei por experiência própria: no quinto dia pode ser difícil perceber que ainda faltam vinte e cinco para completar a transformação e você se tornar uma pessoa matutina. Tenha em mente que no quinto dia você já terá terminado mais da metade da primeira fase e continua firme no caminho. Lembre-se: os sentimentos iniciais não vão durar para sempre. Você deve perseverar, porque em pouco tempo vai obter todos os resultados que procura e se transformar na pessoa que sempre desejou ser!

SEGUNDA FASE: DESCONFORTÁVEL (11º AO 20º DIA)

Seja bem-vindo à segunda fase, quando o corpo e a mente começam a se adaptar a acordar mais cedo. Você nota que levantar começa a ficar um pouco mais fácil, embora ainda não seja um hábito, pois não faz parte de quem você é e provavelmente não vai parecer natural.

A maior tentação nesta fase é se recompensar com uma pausa, especialmente nos fins de semana. Uma pergunta publicada frequentemente na Comunidade de *O Milagre da Manhã* é: "Quantos dias por semana vocês levantam cedo para o *Milagre da Manhã*?" A resposta mais comum entre os praticantes de longa data de *O Milagre da Manhã* é: *todos os dias*.

A melhor parte da segunda fase é que a primeira já passou. Você superou o período mais difícil, então continue em frente! Por que raios você iria querer enfrentar a primeira fase de novo ao tirar um ou dois dias de folga? Acredite: não é uma boa ideia, então fuja disso!

TERCEIRA FASE: IMBATÍVEL (21º AO 30º DIA)

A essa altura, acordar cedo não só é um hábito como agora faz parte de *quem você é* e da sua identidade. O corpo e a mente se acostumaram a esse novo jeito de ser. Os próximos dez dias são importantes para consolidar o hábito em você e na sua vida.

Ao praticar seu *Milagre da Manhã*, você também vai ganhar apreço em relação às três fases da mudança de hábito. Um benefício extra é perceber que agora será possível identificar, desenvolver e adotar qualquer hábito que lhe sirva, incluindo os hábitos dos empreendedores excepcionais que incluímos neste livro.

Agora que você aprendeu a estratégia mais simples e eficaz para colocar em prática e manter qualquer novo hábito em trinta dias, já conhece a mentalidade e abordagem necessárias para terminar o Desafio de *O Milagre da manhã* para mudança de vida em trinta dias. A única exigência é o compromisso de começar e ir até o fim.

PENSE NAS RECOMPENSAS

Ao se comprometer com o Desafio de *O Milagre da manhã* para mudança de vida em trinta dias, você vai criar a base para o sucesso em todas as áreas, pelo resto da vida. Acordando cedo e praticando o *Milagre da Manhã*, você vai começar o dia com níveis extraordinários de ***disciplina*** (capacidade fundamental para cumprir seus compromissos), ***clareza*** (a força de se concentrar no que realmente importa) e ***desenvolvimento pessoal*** (talvez o fator mais determinante para o sucesso). Nos próximos trinta dias, essa base vai ajudar você a *se transformar* rapidamente na pessoa necessária para criar os níveis extraordinários de sucesso pessoal, profissional e financeiro que realmente deseja.

Você também vai transformar o *Milagre da Manhã* de um conceito que está empolgado (e talvez um pouco nervoso) para *experimentar* em um hábito para a vida toda, que vai transformar você na pessoa que precisa ser a fim de criar a vida que sempre desejou. Você vai realizar seu potencial e ver resultados inéditos na vida.

Além de desenvolver hábitos de sucesso, você também vai criar a ***mentalidade*** necessária para melhorar de vida, tanto em termos internos quanto externos. Ao praticar os Salvadores de Vida todos os dias, você vai sentir os benefícios físicos, intelectuais, emocionais e espirituais do silêncio, afirmações, visualização, exercícios, leitura e escrita. Você imediatamente vai ficar menos estressado, mais concentrado, feliz e empolgado em relação à vida, gerando mais energia, clareza e motivação para seguir em frente rumo aos seus maiores objetivos e sonhos (especialmente os que você está adiando há tanto tempo).

Lembre-se: a vida vai melhorar, mas só *depois* que você se desenvolver e se transformar na pessoa que precisa ser para melhorar. Os próximos trinta dias da sua vida podem ser exatamente isso: um novo começo e o início dessa transformação.

VOCÊ CONSEGUE!

Se estiver ansioso, hesitante ou preocupado em relação a continuar o processo por trinta dias, relaxe. É totalmente normal, especialmente se acordar cedo sempre foi difícil para você. Na verdade, não só a hesitação e o nervosismo são esperados como isso é um ótimo sinal! Significa que você está *pronto* para se comprometer — caso contrário, não estaria nervoso.

Então, vamos começar.

Capítulo bônus

A EQUAÇÃO DO MILAGRE E A FÓRMULA DO SUCESSO PARA O EMPREENDEDOR

Existem apenas dois jeitos de viver a vida. Um é como se nada fosse um milagre. O outro é como se tudo fosse um milagre.

— Albert Einstein (atribuído)

O *Milagre da Manhã* é uma questão de se elevar a fim de elevar o seu sucesso. Agora é hora de pegar tudo o que você aprendeu e acrescentar duas fórmulas definitivas para o sucesso, que praticamente TODOS os conquistadores de alto nível em todas as áreas usam a fim de expandir o que é possível de modo consistente.

Quando Hal e eu nos reunimos para escrever este livro, começamos a comprar anotações de modo a discutir as filosofias e estratégias que usávamos e muitas vezes dividíamos com outros empreendedores. Quando aprendi a Equação do Milagre do Hal, percebi o quanto ela era similar e complementar à fórmula do sucesso para o empreendedor que ensino. Você está com sorte, pois vai aprender as duas!

Primeiro eu pedi ao Hal para dividir a Equação do Milagre com você, depois eu venho com a fórmula do sucesso para o empreendedor. Você poderá colocar as duas ou apenas uma em prática para elevar seus resultados.

A EQUAÇÃO DO MILAGRE: FI + EE = M

Aqui é o Hal. Espero que você esteja gostando de *O Milagre da Manhã*! Agora você sabe que pode acordar cedo e acelerar o desenvolvimento pessoal com os Salvadores de Vida, manter níveis extraordinários de disposição e foco inabalável ao longo do dia, além de desenvolver e aplicar continuamente as habilidades e princípios para elevar o empreendedor. Mas eu sei que você não leu até aqui apenas para aumentar um pouquinho o seu sucesso. Você quer dar um salto imenso e gerar resultados extraordinários, certo? Certo. Se você também aplicar o que vem a seguir à carreira de empreendedor, irá muito além: você se juntará aos profissionais de elite, *ao 1% dos melhores.*

Para dar esse salto, existe mais uma estratégia crucial para aumentar sua caixa de ferramentas de negócios: a Equação do Milagre.

A Equação do Milagre é a estratégia subjacente que usei para bater recordes de vendas de modo consistente, ser um dos indivíduos mais jovens que já entraram no hall da fama da minha empresa, um escritor de sucesso que ficou no topo das listas de mais vendidos e palestrante internacional. Contudo, é mais do que isso. Esta é exatamente a mesma equação que TODOS os profissionais de alto nível (o 1% dos melhores) usaram para criar resultados espantosos, enquanto os outros 99% perguntam como eles fazem isso.

A Equação do Milagre nasceu durante um dos "períodos de pico" na Cutco, 14 dias em que a empresa alimentava a competição amigável e criava incentivos para bater recordes de venda, tanto para o vendedor como para a filial.

Aquele período de pico era especial por dois motivos. Primeiro, eu estava tentando ser o primeiro representante de vendas na história da empresa a conquistar o primeiro lugar por três períodos de pico consecutivos. O segundo motivo é que eu precisaria fazer isso em apenas 10 dos 14 dias.

Eu sabia que precisava me aperfeiçoar para conseguir tal proeza e que o medo e a dúvida eram muito maiores que o usual. Até pensei em diminuir meu objetivo de vendas com base nas circunstâncias, mas lembrei dos ensinamentos do mentor Dan Casetta: "O verdadeiro propósito de um objetivo não é atingi-lo, e sim se desenvolver até se tornar o tipo de pessoa que poderá conquistar seus objetivos, independentemente de atingir aquela meta específica ou não. É a pessoa em quem você se transforma ao dar tudo de si por esse objetivo até o último momento que mais importa, seja qual for o resultado."

Assim, decidi manter o objetivo original, mesmo que a possibilidade de fracasso fosse real com base no tempo limitado disponível. Com apenas dez dias para bater um recorde, eu sabia que precisava ser especialmente concentrado, fiel e intencional. Era um objetivo ambicioso, sem dúvida, e precisei descobrir o que era capaz de fazer.

AS DUAS DECISÕES QUE TRANSFORMAM O IMPOSSÍVEL EM POSSÍVEL

Como acontece em todo grande desafio, é preciso tomar decisões relacionadas à conquista do objetivo. Fiz a engenharia reversa do período de vendas por meio da seguinte pergunta: "Se eu fosse bater o recorde em apenas dez dias, quais decisões eu precisaria tomar agora e com o que precisaria me comprometer antecipadamente para conseguir?"

Identifiquei as duas decisões que teriam o maior impacto e só depois percebi que eram *as mesmas decisões que todas as pessoas de altíssimo desempenho tomam em algum momento da vida.*

Essas duas decisões formam a base da Equação do Milagre.

Primeira decisão: *Fé Inabalável*

Já enfrentando o medo e a dúvida, percebi que, para conquistar o aparentemente impossível, seria preciso manter a *Fé Inabalável* todos os dias, *independentemente dos meus resultados.* Eu sabia que duvidaria de mim em alguns momentos e que em outras ocasiões estaria tão longe do rumo a ponto de o objetivo não parecer mais alcançável. Nesses momentos eu precisaria vencer as dúvidas com *Fé Inabalável.*

Para manter o nível de fé naqueles momentos desafiadores, eu repetia o que chamo de Mantra Milagroso:

Eu vou ______________ (fazer a próxima venda, ligar para vinte clientes em potencial, conquistar meu objetivo etc.), não importa o que aconteça. Não há outra opção.

Repetir essa frase para mim mesmo várias vezes serviu para programar o subconsciente enquanto direcionava o pensamento consciente para continuar avançando rumo ao objetivo.

Entenda que manter a *Fé Inabalável* não é *normal* ou natural, por isso é praticado apenas pela elite de qualquer área. Um dos desafios de manter a *Fé Inabalável* é que nem sempre parece uma atitude autêntica, pois não há como saber *com certeza* se vai funcionar. É exatamente por isso que chamam de fé. Esse é um dos principais componentes da elite. Por sinal, os atletas de elite são ótimos exemplos de indivíduos que vivem de acordo com a Equação do Milagre, mantendo a *Fé Inabalável* de que vão ganhar cada partida e acertar cada jogada, mesmo que praticamente nenhum atleta vença todas as partidas e definitivamente ninguém acerte todas as jogadas.

Na infância, eu era um grande fã do Michael Jordan, um dos maiores jogadores de basquete de todos os tempos. Jordan exemplificava a Equação do Milagre, mantendo a *Fé Inabalável* de que poderia acertar todas as jogadas. Se ele errasse, pedia a bola de novo, pois sabia que poderia acertar a próxima jogada. Se errasse duas jogadas seguidas, continuava pedindo a bola de novo, porque mantinha a *Fé Inabalável* de que acertaria o terceiro arremesso. E, se errasse o terceiro, pedia a bola de novo, pois sabia que acertaria o quarto.

Veja bem: os melhores atletas do mundo sempre pedem a bola, porque em algum momento da vida tomaram a decisão (consciente ou não) de que poderiam acertar todas as jogadas que fizessem, não importa quantas errassem, mesmo que a possibilidade de errar sempre estivesse presente e fosse inevitável no fim das contas.

Enquanto isso, para o atleta mediano, errar uma ou várias jogadas seguidas abala a confiança e faz com que a fé em si mesmo e nas próprias habilidades diminua. Mas isso não acontecia com Jordan. Não importa quantos arremessos ele errasse, sempre mantinha a *Fé Inabalável* de que acertaria o próximo.

Quando o jogo é decisivo, o time está perdendo e faltam poucos segundos para terminar, apenas os fora de série como Michael Jordan não hesitam em dizer à equipe: "Passem a bola para mim." O resto do time respira aliviado, pois não precisa enfrentar o medo de errar o lance vencedor do jogo, enquanto Michael Jordan se baseia na decisão tomada em algum ponto na vida de manter a *Fé Inabalável*, apesar de poder errar. E, embora Michael Jordan tenha errado 26 arremessos que poderiam vencer jogos em sua carreira lendária, a fé de que ele acertaria todos nunca se abalou.

Essa é a primeira decisão tomada pela elite do mundo, e você pode fazer o mesmo.

Quando você está trabalhando em um objetivo e não está no rumo certo, o que vai pela janela em primeiro lugar? *A fé no fato de que o resultado desejado é possível.* O diálogo interno fica negativo: *Não estou no rumo certo. Não parece que vou alcançar meu objetivo.* E a cada momento a fé diminui e a dúvida consome você.

Os atletas de elite têm a *Fé Inabalável* de que podem acertar qualquer jogada. Essa fé, que você também precisa desenvolver, não se baseia na probabilidade e vem de um lugar totalmente diferente. A maioria dos empreendedores e empresas se baseia na chamada *lei das médias*, mas estamos falando da *lei dos milagres*. Quando você erra uma jogada atrás da outra (no seu caso, uma venda após a outra), é preciso dizer o mesmo que o Michael Jordan diz a si mesmo: *Errei três vezes, mas quero a próxima bola e vou acertar a próxima jogada.*

Você não precisa se contentar com a lei das médias. Você tem a capacidade e a escolha de manter a *Fé Inabalável*, não importa o que aconteça e independentemente do resultado. Pode haver dúvidas ou um dia ruim, mas é preciso escolher ativamente e repetir essa escolha de manter a *Fé Inabalável* de que tudo é possível ao longo da jornada, seja um período de pico de dez dias ou uma carreira de trinta anos.

Quando o resultado desejado não parece provável, as pessoas medianas perdem a fé no fato de que ele é possível.

Nesse momento, você repetirá o Mantra milagroso:

Eu vou ________________ *(fazer a próxima venda, ligar para vinte clientes em potencial, conquistar meu objetivo), não importa o que aconteça. Não há outra opção.*

Depois, você mantém a integridade e faz o que prometeu a si mesmo.

Um atleta de elite pode estar no pior momento e não ter acertado uma jogada na maior parte da partida, mas no último instante, quando o time precisa dele, ele começa a acertar. Esse jogador de elite sempre quer a bola, mantendo a crença e a fé inabaláveis. No último instante, ele acerta três vezes mais do que no jogo inteiro.

Por quê? Essa pessoa se condicionou a ter *Fé Inabalável* no próprio talento, habilidade e capacidade, independentemente do que diz o placar ou as estatísticas.

Ela também combina a *Fé Inabalável* com a parte dois da Equação do Milagre: *Esforço Extraordinário.*

Segunda decisão: *Esforço Extraordinário*

Quando você permite que a fé voe pela janela, quase sempre o esforço vai logo atrás. Afinal, *qual o sentido de tentar fazer aquela venda ou conquistar um objetivo se ele é impossível?* Subitamente você passa a questionar como vai encontrar o próximo cliente ou vender outro produto, que dirá alcançar o grande objetivo que está trabalhando para conseguir.

Eu já estive muitas vezes nessa situação de ficar desanimado e questionar: *qual o sentido de tentar?* Como empreendedor, se você estiver no meio do mês e deveria ter vendido 50 mil dólares, mas ainda está nos 7.500, então começa a pensar: *Não tenho como conseguir isso.*

É aí que entra o *Esforço Extraordinário.* Você precisa manter o foco no objetivo original e se reconectar com a visão que tinha para ele, o grande *motivo* que estava em seu coração e em sua mente quando definiu o objetivo para início de conversa.

Seguindo os meus passos, você precisa fazer engenharia reversa no objetivo, perguntando: *Estou no fim do mês. O que eu precisaria ter feito se quisesse conquistar esse objetivo?*

Seja qual for a resposta, será preciso agir intensamente e dar tudo de si, independentemente dos resultados. É preciso acreditar que você ainda pode tocar a campainha do sucesso, mantendo a *Fé Inabalável* e o *Esforço Extraordinário* até ouvir o som da campainha. É o único jeito de criar a oportunidade para que o milagre aconteça.

Se você agir como as pessoas comuns e fizer o que manda a natureza humana, nunca deixará de ser um empreendedor mediano. Não escolha a mediocridade! Lembre-se: os pensamentos e ações criam resultados e são profecias que sempre se cumprem.

Permita-me apresentar você à vanguarda e à estratégia capaz de levar seus objetivos às alturas e praticamente garantir que todas as suas ambições se realizem.

A EQUAÇÃO DO MILAGRE

Fé Inabalável + Esforço Extraordinário = Milagres

É mais fácil do que você pensa. O segredo para manter a *Fé Inabalável* é reconhecer que se trata de uma mentalidade e *estratégia*, em vez de algo concreto. Na verdade, trata-se de algo fugaz. Ninguém fecha *todas* as vendas. Nenhum atleta acerta *todas* as jogadas. Portanto, é necessário se programar para ter a *Fé Inabalável* que levará você a manter o *Esforço Extraordinário*, independentemente dos resultados.

Lembre-se: o segredo para colocar a equação em prática e manter a *Fé Inabalável* em tempos de insegurança é o Mantra milagroso:

Eu vou ___________________, não importa o que aconteça. Não há outra opção.

No meu caso, recentemente foi "Eu vou gerar 1,5 milhão de dólares em receitas, não importa o que aconteça. Não há outra opção."

Quando você definir um objetivo, coloque-o no formato do *Milagre da Manhã*. Sim, você vai recitar suas afirmações toda manhã (e talvez à noite também), mas o dia inteiro, todos os dias, você também vai repetir o Mantra milagroso enquanto dirige ou pega o metrô até o escritório, quando estiver na esteira, no chuveiro, na fila do supermercado, indo encontrar um possível cliente, ou seja, *em todos os lugares*.

O Mantra milagroso vai fortalecer sua fé e será o diálogo interno necessário para fazer só mais um telefonema ou falar com mais uma pessoa que entra pela porta.

LIÇÃO BÔNUS

Você se lembra do que aprendi com o mentor Dan Casetta? "*O verdadeiro propósito de um objetivo não é atingi-lo, e sim se desenvolver até se tornar o tipo de pessoa que poderá conquistar seus objetivos, independentemente de atingir aquela meta específica ou não. É a pessoa em quem você se transforma ao dar tudo de si por esse objetivo até o último momento que mais importa, seja qual for o resultado.*"

É preciso se transformar em um indivíduo que *pode* conquistar o objetivo. Nem sempre você vai conseguir, mas poderá virar uma pessoa que mantém a *Fé Inabalável* e faz um *Esforço Extraordinário*, independentemente dos resultados. É assim que você se transforma no tipo de pessoa que precisa ser para conquistar objetivos extraordinários de modo consistente.

Embora conquistar o objetivo quase não seja importante (quase!), você vai alcançá-lo com muita frequência. Os atletas de elite vencem o tempo todo? Não, mas vencem na maioria das vezes. E você também vai conseguir isso.

Você pode acordar mais cedo, fazer os Salvadores de Vida com paixão e empolgação, manter-se organizado, concentrado e intencional e dominar todas as técnicas de vendas com maestria. Ainda assim, se você não combinar a *Fé Inabalável* ao *Esforço Extraordinário*, não vai alcançar o nível de sucesso que procura.

A Equação do Milagre oferece acesso a forças além da compreensão humana, usando uma energia que gosto de chamar de Deus, Universo, Lei da atração ou até de sorte. Não sei como funciona, só sei que funciona.

Se você leu até aqui, certamente deseja o sucesso mais do quase tudo na vida. Comprometa-se a seguir todos os aspectos do empreendedorismo, incluindo a Equação do Milagre. Você merece e eu desejo que consiga!

Para colocar em prática

1. Escreva a Equação do Milagre e deixe-a onde você pode ver todos os dias: **Fé Inabalável + Esforço Extraordinário = Milagres (FI + EE = M∞)**
2. Qual é o objetivo número 1 para este ano? Qual objetivo levaria o seu sucesso a outro patamar caso fosse conquistado?
3. Escreva o Mantra Milagroso: *Eu vou (insira seus objetivos e ações diárias aqui), não importa o que aconteça. Não há outra opção.*

É mais uma questão de quem você se transforma ao longo do processo. Depois de expandir a autoconfiança, você será o tipo de pessoa que sempre dá tudo de si quando tenta conquistar um objetivo, independentemente do resultado. E vai repetir isso para todos os objetivos que desejar.

A FÓRMULA DO SUCESSO PARA O EMPREENDEDOR: F X F X E = S

Aqui é o Cameron de novo, para a última parte. Preste atenção, pois você vai receber uma informação e tanto. A fórmula secreta para calcular a probabilidade de sucesso no empreendedorismo é muito parecida com a fórmula usada pelo Hal na Equação do Milagre. A minha Fórmula do sucesso para o empreendedor é: *F x F x E = S.*

O primeiro F é de *foco*, o segundo é de *fé*, o E representa *esforço* e o S significa *sucesso*. Portanto, o seu *foco* multiplicado pela sua *fé* multiplicada pelo seu *esforço* é igual ao seu nível de *sucesso*. É muito interessante em termos matemáticos.

Para ser realmente bem-sucedido como empreendedor, você precisa ter essas três áreas funcionando a todo vapor.

A equação funciona em termos anuais, trimestrais, mensais, semanais ou até diários. Os empreendedores precisam avaliar e escrever o seguinte:

1. Em uma escala de zero a 100%, o quanto você está *concentrado* nas atividades responsáveis por mover e expandir a empresa? Elas incluem a revisão de métricas e dados fundamentais (diariamente ou semanalmente)? Conectar-se e gerenciar sua equipe? O quanto você está realmente concentrado em revisar seus objetivos básicos e acompanhar o progresso em relação a eles? O quanto você está concentrado em executar o que realmente importa, todos os dias? Você está distraído? É sugado pelas redes sociais ou está concentrado em terminar os projetos de maior impacto? De novo, em uma escala de zero a 100%, faça uma avaliação honesta. Diariamente, você está 40% concentrado em atividades de alto nível? Cinquenta por cento? Oitenta? Noventa? Escreva esse número e deixe em um local onde você possa ver.
2. Quanta *fé* você tem em si e na empresa? Estou falando da fé no fato de que você tem a equipe certa, fé no seu mercado, no seu produto, no seu futuro... Ou você tem dúvidas? Você acorda de manhã e pensa: *Sim, tudo está indo muito bem, eu sei o que estamos fazendo e me sinto confortável e confiante*? Ou você fica nervoso, com medo e preocupado? A fé é um produto da confiança. Quanta fé você tem em sua equipe, produto, serviço e no que está fazendo? Quanta fé você tem nas suas habilidades para fazer o trabalho de empreendedor? Qual a sua porcentagem de fé, de zero a cem? Quarenta por cento? Cinquenta? Oitenta? Noventa? Anote esse número também.
3. Por fim, vamos falar de *esforço*. Qual a porcentagem do esforço que você está fazendo? Está se esforçando cem por cento ou cinquenta? Você está trabalhando arduamente por vários e longos dias ou está se deixando levar pelos acontecimentos e vendo no que dá? Você está

realmente sentando em sua mesa e trabalhando para valer? Ou está perdendo tempo ao longo dos dias e semanas? Que porcentagem de esforço você está fazendo, de zero a cem? Sessenta por cento? Setenta? Oitenta? Noventa? Anote esse número.

Este é o momento em que a magia da fórmula secreta realmente acontece. Você pega as porcentagens de cada uma das três áreas (foco, fé e esforço) e as multiplica. O resultado é a sua probabilidade de sucesso como empreendedor.

- Fórmula do sucesso para o empreendedor
- Foco x fé x esforço = sucesso
- F x F x E = Sucesso
- ____ % x ____ % x ____ % x = ____ de probabilidade de sucesso.
- 80% x 80% x 80% = 51,2% de probabilidade de sucesso

Essa não é uma probabilidade muito boa. Na verdade, eu já disse a clientes com números parecidos que era melhor ir para Las Vegas e colocar 100% do dinheiro disponível na roleta, escolher vermelho ou preto e apostar tudo em uma rodada. Se fizessem isso, eles também economizariam uma tonelada de estresse.

Mesmo se um cliente fizesse melhor, digamos, com 90% de foco, 90% de fé e 90% de esforço, os números também não seriam assim uma maravilha.

- 90% x 90% x 90% = 72,9% de probabilidade de sucesso

A realidade é que, se os empreendedores quiserem ter sucesso, precisam aumentar esses números e chegar aos 98%. Eu, pelo menos, preciso.

- 98% x 98% x 98% = 94,1% de probabilidade de sucesso

Essa é uma probabilidade em que vale a pena apostar. E, sinceramente, começar o dia com a mentalidade de *O Milagre da Manhã* vai colocar você e sua empresa no caminho para o sucesso.

Veja como eu uso a fórmula para me guiar e motivar:

A cada trimestre, mês, semana e às vezes dia, eu escrevo rapidamente os números e vejo como estou indo. Enquanto escrevo este livro, aqui estão meus números relacionados à nova COO Alliance:

- 90% x 95% x 90% = 76,9% de probabilidade de sucesso

Não está bom o suficiente, então é hora de aumentar cada um desses números em relação ao foco principal da empresa.

Onde está você em relação ao foco principal da sua empresa?

CONSIDERAÇÕES FINAIS

Parabéns! Você fez o que pouquíssimas pessoas fazem: leu um livro inteiro. Chegar até aqui me diz algo a seu respeito: você tem fome de mais. Você quer ser mais, fazer mais, contribuir mais e ganhar mais.

Agora você tem a oportunidade inédita de aplicar os Salvadores de Vida à empresa e à vida, transformando sua rotina diária (e sua vida) em uma experiência de primeira classe, maior que os seus sonhos mais desvairados. Quando perceber, você vai colher os benefícios astronômicos dos hábitos que os principais conquistadores seguem todos os dias.

Daqui a cinco anos, sua vida, negócios, relacionamentos e renda serão resultado direto *da pessoa em quem você se transformou.* Cabe a você acordar todos os dias e investir tempo para se transformar na melhor versão de si mesmo. Aproveite este momento, defina uma visão para o futuro e use o que aprendeu neste livro a fim de transformar sua visão em realidade.

Imagine-se encontrando daqui a alguns anos o diário que começou após terminar este livro. Nele você encontrará os objetivos e sonhos que escreveu e não ousou falar em voz alta na época e, ao olhar ao redor, vai perceber que *aqueles sonhos representam a sua vida atual.*

Agora você está no pé de uma montanha que pode escalar com facilidade e sem esforço. Basta continuar acordando cedo todos os dias, fazendo o

Milagre da Manhã e usando os Salvadores de Vida, mês após mês, ano após ano. Tudo isso levará *você*, sua *empresa* e o seu *sucesso* a níveis inéditos e extraordinários.

Combine o *Milagre da Manhã* ao compromisso de dominar as habilidades e princípios para elevar o empreendedor e a Equação do Milagre e crie resultados que a maioria das pessoas apenas sonha em conseguir.

Este livro foi escrito para expressar o que Hal e eu sabemos que vai funcionar para você levar todas as áreas da vida a outro patamar mais rápido do que acredita ser possível. As pessoas que têm um desempenho milagroso não nasceram assim: elas dedicaram a vida a desenvolver as habilidades para conquistar tudo o que sempre desejaram.

Você pode ser uma delas, eu prometo.

HORA DE AGIR: O DESAFIO DE TRINTA DIAS DE *O MILAGRE DA MANHÃ*

Agora é hora de se juntar a dezenas de milhares de pessoas que mudaram de vida, renda e carreira no empreendedorismo com *O Milagre da Manhã*. Entre na comunidade online em TMMBook.com [em inglês], baixe o kit de ferramentas em **https://www.miraclemorning.com/Brazil/** e comece *agora*.

Quatro etapas para começar o Desafio de *O Milagre da Manhã* para mudança de vida em trinta dias

PRIMEIRO PASSO: OBTER O KIT DE COMEÇO RÁPIDO DO DESAFIO DE *O MILAGRE DA MANHÃ* PARA MUDANÇA DE VIDA EM TRINTA DIAS

Visite **https://www.miraclemorning.com/Brazil/** e baixe gratuitamente o Kit de começo rápido do Desafio de *O Milagre da Manhã* para mudança de vida em trinta dias, com exercícios, afirmações, listas de verificação diárias, planilhas de controle e todo o material necessário para começar e terminar com a maior facilidade possível o Desafio de *O Milagre da Manhã* para mudança de vida em trinta dias. Reserve um minuto para fazer isso agora.

SEGUNDO PASSO: PLANEJAR O PRIMEIRO *MILAGRE DA MANHÃ* PARA AMANHÃ

Se você ainda não começou, comprometa-se e agende o primeiro *Milagre da Manhã* para o mais rápido possível, de preferência *amanhã*. Sim, anote na agenda e decida o local. Lembre-se: é importante sair do quarto assim que acordar para se afastar das tentações da cama. Meu *Milagre da Manhã* acontece todos os dias no sofá da sala de estar, quando o resto da casa ainda está dormindo. Eu soube de pessoas que fazem o *Milagre da Manhã* ao ar livre, na varanda ou em um parque do bairro. Faça onde você se sentir mais confortável e onde não haja interrupções.

TERCEIRO PASSO: LER A PRIMEIRA PÁGINA DO KIT DE COMEÇO RÁPIDO E FAZER OS EXERCÍCIOS

Leia a introdução do Kit de começo rápido do Desafio de *O Milagre da Manhã* para mudança de vida em trinta dias, siga as instruções e faça os exercícios.

Como tudo o que vale a pena, o Desafio de *O Milagre da Manhã* para mudança de vida em trinta dias exige um pouco de preparo. É importante fazer os exercícios iniciais do Kit de começo rápido (que não levam mais do que uma hora). Tenha em mente que o *Milagre da Manhã* sempre vai começar com a *preparação* feita no dia anterior de modo a estar preparado em termos mentais, emocionais e logísticos para o *Milagre da Manhã*. Essa preparação inclui seguir a Estratégia de cinco passos à prova de soneca para acordar, explicada no Capítulo 2.

QUARTO PASSO: CONSEGUIR UM PARCEIRO DE RESPONSABILIZAÇÃO

As evidências avassaladoras da relação entre sucesso e responsabilização são inegáveis. Embora a maioria das pessoas não goste de se responsabilizar, é imensamente benéfico ter alguém que exija mais de nós do que costumamos fazer. Todos podem se beneficiar do apoio oferecido por um parceiro de responsabilização, portanto é altamente recomendável, embora não seja obrigatório, convidar alguém do seu círculo de influência (parentes, amigos, colegas, cônjuge etc.) para se juntar a você no Desafio de *O Milagre da Manhã* para mudança de vida em trinta dias.

Ter alguém para nos responsabilizar não só aumenta a probabilidade de seguir em frente como juntar forças com outra pessoa é mais divertido! Pense nisso: quando você se empolga com algo e se compromete a fazer aquilo sozinho, há uma força nessa empolgação e no compromisso individual. Contudo, ao ter mais alguém na sua vida que esteja tão empolgado e comprometido quanto você, a força será muito maior.

Ligue, mande mensagem de texto ou e-mail para uma pessoa (ou mais!) hoje e convide-a para se juntar a você no Desafio de *O Milagre da Manhã* para mudança de vida em trinta dias. O jeito mais rápido de colocá-la a par do assunto é mandando o link **https://www.miraclemorning.com/Brazil/** para que ela tenha acesso gratuito e imediato ao Kit de começo rápido do *Milagre da Manhã*, contendo:

- **O treinamento em vídeo GRÁTIS de *O Milagre da Manhã* [em inglês]**
- **O treinamento em áudio GRÁTIS de *O Milagre da Manhã* [em inglês]**
- **Dois capítulos GRÁTIS do livro *O Milagre da Manhã***

Isso não terá custo algum para eles e você vai se unir a alguém com o mesmo compromisso de levar a vida a outro patamar, então vocês podem trocar apoio e estímulo, além de se responsabilizar mutuamente.

IMPORTANTE: não espere até ter um parceiro de responsabilização para fazer o primeiro *Milagre da Manhã* e começar o Desafio de *O Milagre da Manhã* para mudança de vida em trinta dias. Independentemente de ter encontrado alguém para embarcar nessa jornada com você, recomendo agendar e fazer o primeiro *Milagre da Manhã* amanhã, de qualquer jeito. Não espere. Você será ainda mais capaz de inspirar outra pessoa a acompanhá-lo na prática do *Milagre da Manhã* se já tiver vivenciado alguns dias do processo. Comece e, assim que puder, convide um amigo, parente ou colega de trabalho a visitar **https://www.miraclemorning.com/Brazil/** e baixar o Kit de começo rápido do *Milagre da Manhã*.

Em menos de uma hora, essa pessoa não apenas será totalmente capaz de ser um parceiro de responsabilização do *Milagre da Manhã* como talvez se inspire a melhorar de vida também.

VOCÊ ESTÁ PRONTO PARA LEVAR SUA VIDA A OUTRO PATAMAR?

Qual é o próximo patamar em sua vida pessoal ou profissional? Que áreas precisam ser transformadas para você chegar a esse ponto? Dê a si mesmo o presente de dedicar apenas trinta dias a progredir significativamente na vida, um dia de cada vez. Não importa como foi o passado: você poderá mudar o futuro ao mudar o presente.

PERFIL DO EMPREENDEDOR

Pat Flynn

A empresa de Pat Flynn é a Smart Passive Income.

PRINCIPAIS CONQUISTAS NOS NEGÓCIOS

- Pat é autor de *Will It Fly* [Vai voar], que está na lista dos mais vendidos do *Wall Street Journal.*
- Em 2015 ele recebeu o prêmio de Melhor Podcast de Negócios da Academia de Podcasters.
- Ele é consultor de empresas como LeadPages, ConvertKit e Pencils of Promise.
- Pat apareceu na revista *Forbes* como um dos Principais Líderes de Empresas Transparentes.
- Os podcasts dele têm mais de trinta milhões de downloads.

ROTINA MATINAL

- Pat levanta às 4 horas para lavar o rosto e escovar os dentes.
- Ele toma 250 ml de água e come torradas de pão de Ezequiel com manteiga de amêndoas.
- Em seguida, Pat se alonga e faz visualizações concentradas sobre o que gostaria de conquistar durante o dia.

- Ele também vai à quadra de basquete três vezes por semana. Nos outros dois dias, trabalha ou escreve.
- Pat faz sete minutos de meditação e escreve em um diário por cinco minutos (usando o *Five Minute Journal*).
- Depois, ele recita suas afirmações e lê até os filhos levantarem.
- Pat fica com as crianças e as arruma para a escola.
- Ele e a esposa levam o filho à escola.
- Depois, ele fica um tempo com a esposa e a filha brincando, lendo e aproveitando o resto do dia!

Conclusão

PERMITA QUE HOJE SEJA O DIA EM QUE VOCÊ ABRE MÃO DE QUEM FOI EM PROL DE QUEM PODE SE TORNAR

Ao acordar todos os dias, pense: "Hoje eu sou afortunado por ter acordado. Estou vivo, tenho uma vida humana preciosa e não vou desperdiçá-la. Vou usar todas as minhas energias para me desenvolver e expandir meu coração para os outros. Vou beneficiar os outros o máximo que puder."

— Dalai Lama

As coisas não mudam. Nós mudamos.

— Henry David Thoreau

Onde você está é resultado de quem você *foi*, mas para onde você vai depende inteiramente de quem você escolhe ser a partir deste instante.

Agora é o momento. Decida que hoje é o dia mais importante da sua vida, pois a pessoa em quem você está se tornando *agora* com base nas escolhas e nas ações que realiza é que vai determinar quem você vai ser e onde vai estar pelo resto da vida. Não adie o ato de criar e conseguir a vida, felicidade, saúde, riqueza, sucesso e amor que você realmente deseja e merece.

Como disse um dos meus mentores, Kevin Bracy: "Não espere para ser grande." Para melhorar de vida, é preciso melhorar a si mesmo. Você pode baixar o Kit de começo rápido do Desafio de *O Milagre da Manhã* para mudança de vida em trinta dias em **https://www.miraclemorning.com/Brazil/**. Depois, com ou sem parceiro de responsabilização, comprometa-se a terminar o desafio de trinta dias e comece imediatamente a acessar mais do seu potencial. Imagine: daqui a um mês você vai estar no caminho para transformar todas as áreas da sua vida.

VAMOS CONTINUAR AJUDANDO OS OUTROS

Posso pedir um favorzinho rápido a você?

Se este livro acrescentou valor a sua vida, se você acredita que está melhor após lê-lo e vê que *O Milagre da Manhã* pode ser um novo começo para levar qualquer área da vida (ou todas elas) a outro patamar, que tal fazer algo por alguém importante para você?

Doe este livro ou o empreste para essa pessoa. Diga para essa pessoa ler para que ela também receba a oportunidade de transformar sua vida para melhor. Ou, se você ainda não quiser emprestar seu exemplar porque está planejando reler, pode comprar um livro e presentear essa pessoa, só para dizer: "Olha, eu amo e valorizo você e quero ajudá-lo a melhorar de vida. Leia isto."

Se você é igual a mim e acredita que ser um ótimo amigo (ou parente) tem a ver com ajudar quem você ama a se transformar na melhor versão possível de si mesmo, recomendo que divida este livro com eles.

Juntos, nós vamos elevar a consciência da humanidade, uma manhã por vez.

Muito obrigado.

UM CONVITE ESPECIAL DO HAL

Os leitores e praticantes de *O Milagre da Manhã* se uniram para criar uma comunidade extraordinária, composta por mais de 200 mil indivíduos do mundo inteiro com ideias em comum que acordam todos os dias *com um propósito* e dedicam seu tempo a atingir o potencial ilimitado que existe em todos nós enquanto ajudam os outros a fazer o mesmo.

Por ser o autor de *O Milagre da Manhã*, senti que tinha a responsabilidade de criar uma comunidade online em que os leitores pudessem se conectar, obter apoio, compartilhar opiniões, ajudar uns aos outros, discutir o livro, publicar vídeos, encontrar parceiros de responsabilização e até trocar receitas de vitaminas e séries de exercícios físicos.

Eu sinceramente não fazia ideia que a comunidade de *O Milagre da Manhã* seria uma das mais positivas, engajadas e solidárias do mundo, mas foi o que aconteceu. Sempre me surpreendo com o nível e o caráter de nossos integrantes, que vêm de mais de setenta países e crescem diariamente.

Visite **MyTMMCommunity.com** para se juntar à comunidade de *O Milagre da Manhã* no Facebook [em inglês]. Você vai se conectar de imediato a mais de 150 mil pessoas que já estão praticando *O Milagre da Manhã*. Além de encontrar muitos que estão começando a jornada, você descobrirá ainda mais pessoas que o praticam há anos e ficarão felizes em oferecer conselhos e orientações para acelerar o seu sucesso.

Eu modero a comunidade, e espero encontrar você por lá! Para entrar em contato comigo nas redes sociais, siga **@HalElrod** no Twitter e **Facebook.com/YoPalHal** no Facebook. Vamos nos conectar em breve!

Este livro foi composto na tipologia Minion Pro,
em corpo 11/16, e impresso em papel offwhite,
no Sistema Cameron da Divisão Gráfica
da Distribuidora Record.